Nadine Mackenzie

L'EXPÉDITION BEDAUX
La plus farfelue des expéditions canadiennes

La nouvelle plume

L'EXPÉDITION BEDAUX
La plus farfelue des expéditions canadiennes
Mackenzie, Nadine

Les Éditions de la nouvelle plume remercient le Conseil des Arts du Canada et Patrimoine canadien pour le soutien financier apporté à la publication de cet ouvrage.

Maquette de couverture : Noblet Design Group

Photos de la couverture : Glenbow Museum
                          Bibliothèques et Archives Canada

Mise en page : focus-plus communications

Dépôt légal 4e trimestre 2009

Les Éditions de la nouvelle plume
3850, rue Hillsdale, bureau 130
Regina (Saskatchewan) Canada   S4S 7J5
306-352-7435
nouvelleplume@sasktel.net
www.nouvelleplume.com

Imprimé à Saskatoon par Houghton Boston

ISBN 978-2-921385-65-7

L'EXPÉDITION BEDAUX
La plus farfelue des expéditions canadiennes

d'Edmonton, en Alberta,
jusqu'au col Sifton,
en Colombie-Britannique

par Nadine Mackenzie

*À la mémoire de tous ceux qui
participèrent à cette expédition étonnante
et à la famille Bocock, de la province de l'Alberta.*

PRÉFACE

Ce fut la plus rocambolesque, la plus opulente, la plus bizarre des expéditions qui se déroulèrent dans le nord-ouest du Canada. Ce fut aussi la plus triste et la plus décevante, car elle entraîna la mort d'un grand nombre de chevaux et se solda par un échec retentissant. Cette tentative pour traverser les montagnes Rocheuses canadiennes jusqu'à l'océan Pacifique, à travers montagnes, forêts boréales et marécages, fut dirigée en 1934 par Charles Bedaux, multimillionnaire français qui avait fait fortune aux États-Unis. Il la surnomma « *Expédition canadienne subarctique Bedaux* ». La société Citroën, qui lui vendit les cinq autochenilles nécessaires à cette entreprise et lui prêta les services d'un mécanicien spécialiste de ces véhicules, la baptisa « *Croisière blanche* ».

Près de cinquante personnes participèrent à cette aventure dont Charles Bedaux lui-même, son épouse Fern, leur amie commune Bilonha Chiesa, leurs domestiques, des cow-boys, des mécaniciens, un ingénieur-géologue, des topographes et même un caméraman de

Hollywood chargé de filmer un long métrage avec Bedaux comme acteur principal. Outre les tonnes de matériel emportées, on comptait également des caisses de champagne, des boîtes de caviar et de foie gras, des verres en cristal, et une baignoire pour les dames. Parmi la centaine de chevaux achetés pour cette expédition, l'un d'eux fut spécialement réquisitionné pour transporter les nombreuses paires de chaussures des deux femmes qui, élégantes de pied en cap quotidiennement, ne semblaient pas toujours se rendre compte qu'elles participaient à l'exploration d'un territoire où l'homme blanc n'avait encore jamais pénétré.

Conçu dans l'enthousiasme, ce projet ambitieux avait pourtant eu des débuts prometteurs. Le gouvernement canadien avait lui-même contribué financièrement à l'entreprise et suggéré les services d'un arpenteur-géomètre et d'un topographe pour cartographier cette contrée encore inconnue et sauvage. Malheureusement, l'aventure tourna à la catastrophe. Les pluies d'été diluviennes transformèrent le sol en boue gluante et provoquèrent des glissements de terrain qui rendirent inaccessible l'accès déjà difficile de la région. Les chevaux, atteints d'une maladie contagieuse qui détruisait leurs sabots, s'écroulaient en route ou durent être abattus.

Quelques années plus tard, au cours de la Seconde Guerre mondiale, l'insuccès de cette démarche rappela au gouvernement canadien que cette partie de son territoire était non seulement isolée, mais sans aucune défense militaire. On y construisit rapidement la route de l'Alaska, à proximité du chemin original imaginé par Charles Bedaux.

Quels étaient vraiment les buts et les motifs de ce voyage cocasse en Alberta et en Colombie-Britannique? Mais surtout, qui était Charles Bedaux, cet homme ambitieux et plus grand que nature dont les relations étroites avec le régime nazi se révélèrent si suspectes qu'elles entraînèrent son arrestation? Les circonstances obscures de son décès aux États-Unis restent l'un des mystères de l'histoire.

*
* *

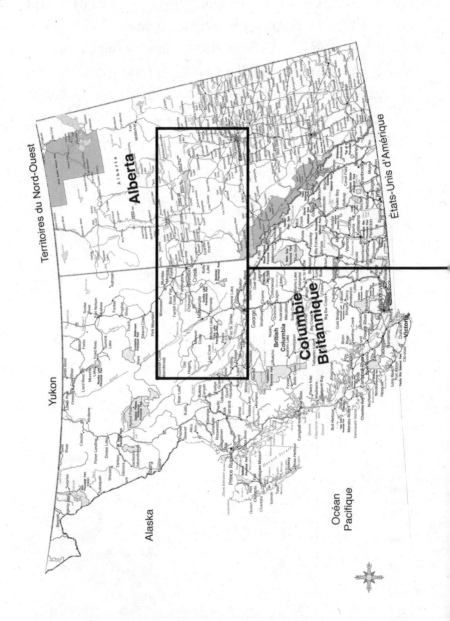

L'EXPÉDITION BEDAUX

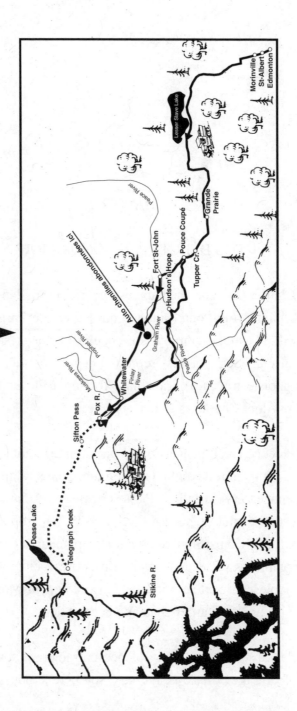

CHAPITRE 1

DES DÉBUTS PEU HONORIFIQUES

Charles Eugène Bedaux est né en 1886 dans le village de Charenton-le-Pont, banlieue du sud-est de Paris Son père travaillait comme employé de chemin de fer et sa mère était couturière. Ses parents représentaient tous deux la petite bourgeoisie française, travaillant fort pour élever leurs quatre enfants dont Charles était le troisième.

Précoce, intelligent et doué d'une grande vitalité, il appréciait peu la compagnie des enfants de son âge. Quand la famille Bedaux déménagea et s'installa à Paris, l'école que Charles fréquenta alors ne lui plût guère. La discipline y était trop stricte à son goût. L'école buissonnière lui parut trop tentante pour y résister. Les punitions pleuvaient, mais il n'en avait cure. Au cours de son adolescence, il se mit à hanter assidûment Montmartre, et surtout Pigalle, quartier chaud de la capitale.

Ses absences et son insolence entraînèrent son renvoi de l'école à l'âge de 16 ans. Furieux, son père le poussa à prendre un petit poste dans une librairie. Comme Charles exécutait sa besogne quotidienne en quelques heures seulement, il lui restait des loisirs pour lire les auteurs à la mode et passer le reste du temps à Montmartre. S'étant découvert des soucis d'élégance, il dépensait son modeste salaire à l'achat de vêtements qu'il portait bien ajustés. Sous peu, lassé des livres, il démissionna.

Son père lui trouva un emploi de magasinier dans un journal de campagne. Quelques semaines plus tard, le jeune Bedaux annonça à ses parents que cette occupation ne répondait nullement à ses aspirations et prit un travail de manœuvre dans une carrière. Le dur labeur que représentait l'extraction de la pierre plut au jeune homme. Il analysa le travail physique en détail et se montra ravi d'acquérir de bons muscles. Mais bientôt, ce nouveau gagne-pain perdit tout intérêt pour lui.

Il revint alors à Paris et s'installa à Pigalle. Là, il fréquenta les bars, les bistrots et les boîtes de nuit de mauvaise réputation où ses habits de dandy attiraient l'attention. Très vite, il se lia d'amitié avec Henri Ledoux, souteneur notoire, qui reconnut chez le jeune homme une grande faculté d'adaptation et un pouvoir de persuasion peu commun. Ils s'associèrent. Ledoux apprit à Charles les premiers éléments de la boxe, toujours utiles dans un tel milieu, puis lui confia la responsabilité de recruter des femmes susceptibles de travailler comme prostituées pour eux. Grâce à son charme et à son charisme, Bedaux fit merveille dans ce domaine qui ne lui réclamait guère d'efforts. Cette vie facile dura jusqu'à l'assassinat de son collègue.

Une nuit, alors que les deux proxénètes traversaient une rue de Pigalle, une auto s'arrêta devant eux. Une jeune femme en sortit et tira quatre coups de revolver dans la direction d'Henri Ledoux qui s'écroula et s'éteignit dans les bras de Charles. La police arrêta ce dernier et le garda à vue pendant deux jours, le questionnant sans relâche pour découvrir les motifs de ce meurtre qui était, de toute évidence, un règlement de comptes.

Les journaux s'emparèrent de l'affaire. Bedaux ne se sentait plus en sécurité à Pigalle et à Montmartre. Craignant de subir le même sort que son ami et partenaire, il décida de se faire oublier et partit tenter sa chance aux États-Unis.

*
* *

CHAPITRE 2

BEDAUX AUX ÉTATS-UNIS

Quand Charles atteignit New York, il avait 19 ans, pas un sou en poche et ne parlait pas un mot d'anglais. Ses parents avaient toutefois écrit à des cousins de son père pour les prévenir de l'arrivée de leur fils. Ils étaient venus chercher fortune en Amérique et avaient ouvert un bureau de dessinateurs industriels. Ils accueillirent le jeune Bedaux, l'installèrent chez eux dans le quartier du Bronx et l'employèrent immédiatement comme balayeur dans leur entreprise. Deux mois plus tard, Charles les quitta pour travailler dans un bar, puis s'engagea comme terrassier, creusant des tunnels sous la ville. Ce dernier emploi fut toutefois de courte durée, car le jeune homme s'écroula d'épuisement. Au cours des trois années qui suivirent, et avec des moyens fort restreints, il parcourut ce vaste pays, acceptant les besognes les plus diverses pour survivre. Il vendit même des chevaux et enseigna aussi le français chez Berlitz.

En 1908, il prit la nationalité américaine. La même année, à Saint Louis, au Missouri, il épousa Blanche de Kressier Allen, jolie fille élevée au couvent dont l'arrière-arrière-grand-père avait servi dans les armées de Napoléon. Un an plus tard, elle donna naissance à un petit garçon qu'ils appelèrent Charles-Émile. Bedaux se lança dans une succession d'entreprises supposées le rendre riche rapidement, mais la chance lui tournait le dos.

Il fit ses premières recherches sur le rôle de l'efficacité dans le travail en usine en observant et en suivant pas à pas un ingénieur. Les résultats le fascinèrent. Il avait finalement trouvé sa voie et décida de se consacrer à ce nouveau concept. Le soir, Charles observait les équipes de nuit à l'œuvre, s'entretenait avec les ouvriers, les questionnant longuement et réclamant leurs suggestions sur lesquelles il basait ses rapports. Le jour, comme il ne gagnait alors pas assez d'argent pour entretenir femme et enfant, il vendait des assurances-vie. Bientôt, ses recommandations améliorèrent les rendements de travail de plusieurs manufactures. Peu à peu, par sa ténacité, son énergie et ses innovations, il se fit connaître dans le monde de l'industrie et signa plusieurs contrats. Ses finances s'améliorèrent nettement.

Bedaux devint alors l'assistant d'un industriel italien du nom de A.M. Morrini. Ses nouvelles fonctions l'amenèrent à rencontrer des ingénieurs spécialistes des systèmes Taylor et Emerson, systèmes d'efficacité du travail alors très en vogue aux États-Unis. Charles étudia en profondeur ces théories de rendement pour découvrir leurs points faibles. Il accompagna Morrini en tant qu'interprète au cours d'un voyage d'affaires dans le nord de la France et en Belgique. Il avait emmené avec lui Blanche et Charles-Émile.

La déclaration de la Première Guerre mondiale le surprit à Bruxelles. Il renvoya aussitôt son épouse et leur bébé en Amérique. Par la suite, il raconta s'être joint à la Légion étrangère, car, expliqua-t-il, ayant acquis la nationalité américaine, il ne pouvait plus être accepté dans l'armée française régulière. La carrière militaire de Bedaux fut toutefois de courte durée. Lors d'un déchargement de bateau, son pied fut écrasé par des morceaux de canon. On l'envoya à l'hôpital où il contracta une hémoptysie bacillaire. Cette mauvaise infection l'obligea à quitter la Légion, quatre mois seulement après son engagement. Au cours de sa convalescence, il mit au point son propre système du travail à la chaîne, prenant en considération l'impact de la fatigue chez les employés.

Il retourna aux États-Unis travailler pour Morrini. Quelque temps plus tard, il démissionna pour fonder son propre bureau d'affaires. En 1917, il publia un livre intitulé *The Bedaux efficiency course for industrial application*, et donna de nombreuses conférences qui les firent connaître, lui et son système. La ténacité remarquable de Bedaux pour obtenir ce qu'il voulait allait enfin payer de retour. Sa carrière prit son essor. Par contre, son mariage se délabra. Blanche l'accusa d'infidélité, le quitta et se remaria peu de temps après leur divorce. Au lieu de se complaire dans la malchance conjugale, Charles tomba follement amoureux de Fern Lombard, jeune femme élégante aux manières impeccables, issue d'une famille d'intellectuels installée à Kalamazoo, près de Grand Rapids, au Michigan. L'intelligentsia se réunissait souvent chez les Lombard où Fern et ses deux sœurs participaient à des conversations animées, portant sur des sujets internationaux.

La cérémonie de ce second mariage fut menée rondement. Alors que Charles et Fern faisaient une randonnée en auto, l'un des pneus du véhicule creva. Un pasteur s'arrêta pour les aider. Sautant sur l'occasion et tirant de sa poche le certificat de publication des bans qu'il venait d'acquérir, Bedaux demanda au représentant du clergé de les marier dans un verger qui se trouvait sur le bas-côté de la route. Après une bénédiction hâtive, le pasteur reprit son chemin et Bedaux finit de réparer son pneu. Les nouveaux époux s'installèrent dans une large maison, près d'East Cleveland, où la jeune femme servit de secrétaire à Charles.

Peu de temps après leur union, le gouvernement américain entreprit des investigations au sujet de Bedaux, plusieurs personnes ayant clamé publiquement qu'elles le soupçonnaient de travailler pour le compte des Allemands. À cette époque, tout étranger vivant aux États-Unis était suspect, or on avait vu Charles photographier usines, fabriques et manufactures. Certains de ses amis et connaissances avaient des noms de famille à consonance germanique. Il tenait, paraît-il, des propos pro-allemands. Comme il parlait anglais avec un fort accent français, des gens, non versés dans les langues étrangères, l'avaient soupçonné d'être allemand! Il n'en fallait pas plus pour l'accuser d'espionnage. En fait, il n'y avait rien de concret dans ces commérages. Toutefois, le chef du service d'espionnage du Département de la Guerre ordonna une enquête qui, évidemment, n'aboutit à rien.

Ignorant superbement ces calomnies, Charles s'attribua le titre pompeux d'expert en organisation et efficacité du travail. Cette fois, l'argent et le succès furent au rendez-vous. Empochant

15 % des revenus bruts qui découlaient de l'application de son système dans tout secteur industriel, il se retrouva sous peu à la tête d'une solide fortune qui s'accrut à une vitesse prodigieuse. Il devint l'un des hommes les plus riches du monde.

*
* *

Les autochenilles Citroën

CHAPITRE 3

LE SYSTÈME BEDAUX

Le système Bedaux fut acclamé comme remède à l'inflation galopante qui sévissait après la Première Guerre mondiale. L'Europe et les États-Unis se trouvaient alors dans une situation économique précaire et cherchaient désespérément des solutions pour pallier au déclin de la production industrielle. Les grandes entreprises et sociétés étaient obligées de réduire leurs frais de gestion au sein de leurs fabriques et manufactures. Les répercussions de la Révolution russe avaient entraîné certains mouvements politiques qui, préconisant un nouveau modèle de société et une stratégie différente du travail, inquiétaient aussi fortement les esprits.

Dans les usines de cette époque, le chronométrage du temps de travail était tantôt basé sur la performance de l'ouvrier le plus rapide, entraînant alors une cadence trop élevée pour ses collègues, tantôt basé sur la production moyenne, ce qui laissait du temps creux à ceux qui travaillaient vite. Or, la méthode de Charles permettait à tous les travailleurs d'atteindre la même productivité.

Le système Bedaux prenait en considération la fatigue découlant du travail exécuté. Charles prétendait avoir lui-même découvert l'existence de relations soi-disant scientifiques entre les efforts mentaux et physiques et la rentabilité, mais se réfugia toujours derrière le secret industriel pour ne pas les divulguer. Le « *point Bedaux* » était l'élément-clé de cette méthode. Charles l'avait défini comme « *une fraction de minute de travail et une fraction de minute de repos constituant ensemble une unité, mais variant en proportions diverses suivant la nature de l'effort* ». Il avait également repéré « *la quantité physiologique utile qu'un être humain normalement constitué pouvait déployer en une minute* » au cours de huit heures de labeur quotidien, dans des conditions tenant compte du temps de repos nécessaire. Il préconisait de travailler à « *60 points Bedaux* » à l'heure. Ces chiffres garantissaient aux travailleurs leur salaire minimum. Un rendement inférieur leur faisait tout simplement perdre leur emploi. En travaillant jusqu'à « *80 points Bedaux* » à l'heure, les ouvriers étaient mieux payés et faisaient gagner encore plus d'argent aux sociétés qui les employaient. Ce qui était hautement recommandé. Le travail à la chaîne était né!

Charles offrait ainsi un procédé applicable, attirant, stimulant et rémunérant, aussi bien pour les grandes entreprises que pour leurs employés. Du moins, en apparence... En vérité, l'originalité du système Bedaux reposait entièrement sur le fait que son inventeur était surtout un promoteur hors-pair!

Comme ce système pouvait être mis en place rapidement dans les usines et manufactures, il se répandit comme une traînée de poudre et fut utilisé avec enthousiasme par les plus grandes sociétés américaines, comme General Motors, Du Pont, ITT, General Electric, Kodak, Dow Chemical, Swifts, General Foods, Texas Corporation, Stirling Products, et même Standard Oil, pour citer les plus connues. Les grandes entreprises qui employèrent le système élaboré par Charles, réorganisèrent le travail de leurs établissements et virent leur productivité augmenter de 50 %.

En un temps record, Charles fit affaire également en Europe. Partout dans le monde, on forma plus de 400 « *ingénieurs Bedaux* ». Le système Bedaux connut le plus grand succès en Grande-Bretagne où il fut adopté dans plus de 600 usines et entreprises. Pour les détracteurs de la méthode, l'application de la théorie de Charles provoquait le surmenage des ouvriers qui, travaillant à la chaîne pendant de longues heures, étaient tout simplement exploités par les grandes compagnies qui s'enrichissaient à leurs dépens. Le film « *À nous la liberté* » de René Clair et celui intitulé « *Les temps modernes* », avec Charlie Chaplin dans le rôle de l'acteur principal, parodiaient cette nouvelle doctrine industrielle.

À l'âge de 34 ans, Charles Bedaux était multimillionnaire. Fumant près de cinquante cigarettes par jour, débordant d'idées et d'énergie, il s'attribua l'un des cinq salaires les plus substantiels perçus aux États-Unis à cette époque et installa ses bureaux à New York qui avait vu les débuts peu reluisants de sa vie en Amérique. Le siège social de sa société était situé au 53e étage du célèbre édifice Chrysler. Les murs de son bureau personnel étaient recouverts de panneaux de chêne ancien et la décoration évoquait un monastère médiéval. Le gouvernement français lui décerna le titre de Chevalier de la Légion d'honneur « *Par décret du 8 février 1930, en qualité de Citoyen américain, président et directeur de Sociétés industrielles et de Mécanique.* »

En bons arrivistes et nouveaux-riches, Charles et Fern s'introduisirent avantageusement dans les hautes sociétés américaine et européenne. Ils consacraient beaucoup de temps à leurs loisirs, voyageant à travers le monde de manière somptueuse, montrant ainsi que pour eux, l'argent n'était pas une fin en soi, mais un moyen d'accéder à une vie des plus agréables et des plus confortables.

*
* *

CHAPITRE 4

UN TOURISTE MULTIMILLIONNAIRE ET MONDAIN

Au fil des années, les Bedaux visitèrent l'Iran, la Turquie, la Grèce et les Indes. Comme il se révéla bon chasseur, Charles pratiqua ce sport en Écosse, en Hongrie et même, en 1926, dans l'ouest du Canada où il se découvrit une passion pour cette dernière contrée. Accompagné d'un ami banquier et richissime, Edmund Rogers, de Fern et de sa fidèle femme de chambre, une espagnole, petite, rondouillarde et très gaie, répondant au nom de Joséphine Daly, Bedaux se rendit à Edmonton où il recruta Jack Bocok. Ce dernier était ingénieur des mines et géologue et possédait de vastes connaissances sur l'Ouest canadien. Jack et son frère Bruce organisèrent une partie de chasse dans le nord de la Colombie-Britannique et jusqu'à la frontière du Yukon. Charles emmena également Marian Booth, sa maîtresse du moment, qui suscita l'admiration du guide, du cuisinier et du petit groupe de cow-boys qu'il avait employés. Ils allèrent jusqu'à la rivière Taku où Bedaux chassa le gros gibier et abattit un orignal, ainsi que plusieurs mouflons et caribous. À cheval, ils explorèrent la région jusqu'à Telegraph Creek et se rendirent ensuite en canot à Wrangell, en Alaska. Charles fut enchanté des 45 jours passés dans ces territoires sauvages et jura d'y retourner.

Madame Fern Bedaux et madame Bilonha Chiesa à l'hôtel MacDonald d'Edmonton

Un an plus tard, Bedaux acquit en France le château de Candé qui datait du XVIe siècle et qui était situé au sud de la ville de Tours, dans le département de l'Indre-et-Loire. Entourée de 250 hectares de champs, collines et forêts, l'édifice comptait 113 pièces. L'ancien proxénète, qui avait craint pour sa vie et s'était enfui de Pigalle, revenait au pays, fortune faite et châtelain!

Acheté au milieu du XIXe siècle par le duc Santiago Drake del Castillo, aristocrate mi-britannique, mi-espagnol, le château avait déjà été agrandi. Bedaux modernisa l'endroit, dépensant des sommes faramineuses pour rénover le domaine auquel il ajouta des courts de tennis, des écuries, un terrain de golf et une immense piscine. Chaque chambre à coucher fut dotée de sa salle de bains attenante, décorée de carreaux de mosaïque aux motifs recherchés, et dont la baignoire se vidait en trente secondes. Il remplit les caves à vin d'excellentes bouteilles, fit aussi placer un orgue exceptionnel dans la bibliothèque et installa même une centrale téléphonique au sous-sol à laquelle étaient reliés 74 téléphones.

À Candé, les Bedaux reçurent un grand nombre d'invités de la haute société. Edmund Rogers leur présenta son frère Herman et son épouse Katherine qui allaient leur faire connaître, quelques années plus tard, une Américaine du nom de Wallis Simpson, future duchesse de Windsor. Fern se révéla une hôtesse remarquable, soucieuse du confort de ses invités. Charles, lui, pensait surtout à leur offrir des distractions qu'ils ne trouveraient pas ailleurs.

Les travaux de rénovation terminés et ne pouvant tenir en place, les Bedaux partirent en expédition en Afrique. On ne connaît guère les détails de ce voyage, sinon qu'il dura plus de cinq mois. Ils emmenèrent un nouveau groupe d'amis et deux de leurs fidèles serviteurs, Joséphine et John Chisholm. Ce dernier, garde-chasse d'origine écossaise, était responsable de l'entretien du vaste parc du château de Candé où il se promenait toujours en kilt. On ignore s'il arbora cette tenue lors de l'expédition en Afrique à laquelle il participa en tant que valet de Charles. Ils traversèrent le Sahara et le désert de Libye.

Ils se rendirent de Mombasa, sur l'océan Indien, jusqu'à Casablanca, sur l'océan Atlantique. Charles et Fern ramenèrent plusieurs serviteurs noirs à Candé. Cette idée se révéla toutefois catastrophique. Lors d'une sortie à Paris, les Africains, épouvantés par les bruits de la capitale, furent pris de panique. Leurs cris de frayeur et leur comportement bizarre firent qu'ils se retrouvèrent tous au commissariat de police. Bedaux décida de les renvoyer chez eux au plus vite et à ses frais.

Toujours en compagnie d'amis, Charles et Fern s'embarquèrent ensuite pour une longue croisière dans le sud de l'océan Pacifique. Au cours de ce voyage, Bedaux mit sur papier ses idées initiales concernant sa « théorie d'équivalisme » où il proposait une réorganisation de la société, basée sur des échanges économiques. Le krach boursier de 1929 ne l'avait pas atteint. Son système d'efficacité du travail était toujours en grande demande, surtout par ces temps financièrement difficiles. Considéré comme le champion mondial de la productivité, il avait même ouvert des succursales de la société Bedaux au Canada et en Australie. Bien que gagnant des sommes d'argent fabuleuses dans les divers pays où il opérait, Charles tergiversait toujours lorsqu'il s'agissait de payer ses impôts. Par la suite, cette attitude lui attira de graves problèmes avec le gouvernement américain qui lui réclamait régulièrement des arriérés qu'il rechignait à payer.

Charles retourna à nouveau dans l'ouest du Canada. À Edmonton, il demanda à Jack Bocock d'organiser une autre expédition de chasse. Cette fois, Fern, lui-même et leurs amis partirent en avion jusqu'à Fort St. John, en Colombie-Britannique où Bedaux acheta plus de cinquante chevaux, engagea plusieurs cow-boys pour s'en occuper, ainsi qu'un cuisinier. Il tua même un ours, événement qui fut rapporté dans le journal local.

Alors qu'ils exploraient les monts Cassiar, prolongement à l'ouest des montagnes Rocheuses dont ils font d'ailleurs partie, Charles exprima plusieurs fois à Jack Bocock son étonnement quant au manque de pistes dans la contrée. Pourquoi ne pas en ouvrir une jusqu'à l'océan Pacifique qui entraînerait de grandes possibilités commerciales, non seulement pour le Canada, mais aussi pour les États-Unis?

Après avoir expédié trois chevaux de l'Alberta au château de Candé, les Bedaux quittèrent le Canada pour les États-Unis et le Mexique, visitèrent ensuite l'Argentine, le Brésil et le Venezuela, puis rentrèrent en Europe.

Mais l'ouest du Canada continuait à fasciner Charles. Un projet d'exploration le hantait. Il écrivit au bureau de topographie de la ville de Victoria pour obtenir le plus de renseignements possible ayant trait au nord-ouest de la Colombie-Britannique. Il se procura aussi les rares cartes géographiques qui existaient des immenses territoires qui l'intéressaient. Puisqu'il en avait les moyens financiers, il pensait de plus en plus sérieusement à organiser un long périple qui montrerait au monde entier que l'on pouvait atteindre l'océan Pacifique en traversant ces lieux encore vierges. Jusqu'alors, les pionniers de l'Ouest, les participants au Klondike et divers détachements de la Police montée avaient tous échoué dans leur tentative de pénétrer au plus profond de cette partie du pays. Bedaux, lui, était sûr de parvenir à ses fins, grâce à ses talents supérieurs d'organisateur et à sa témérité. Il entendait mettre sur pied la plus intrépide et la plus luxueuse des expéditions jamais vues dans cette région et cela, avec des véhicules hors pair. À cet effet, il s'adressa à l'un des patrons des usines Citroën, rencontré sur le bateau allant de Marseille à Mombasa, pour se documenter sur les autochenilles fabriquées par la célèbre société et qui avaient déjà fait leurs preuves sur divers terrains : « *Si vous en avez l'occasion, vous pourrez dire à M. Citroën qu'au cas où l'expédition que je projette serait couronnée de succès, les conséquences commerciales pourraient être très importantes pour la marque automobile utilisée.* »

Quelques mois plus tard, Charles Bedaux allait réaliser son rêve. Il avait alors 48 ans.

*
**

CHAPITRE 5

PRÉPARATIFS DE L'EXPÉDITION (1)

Charles Bedaux appréciait ouvertement la célébrité que lui rapportait sa vaste fortune. Il adorait lire son nom dans la presse. Pour être sûr que cette expédition au Canada ne serait pas ignorée comme l'avait été celle d'Afrique, il engagea les services d'Austin Carson, publiciste de New York. Cette fois, les médias allaient parler de lui, de son esprit d'entreprise, de son courage et de son audace.

Avec enthousiasme il se lança dans l'organisation du projet, envoyant dans toutes les directions de nombreuses lettres, réclamant les renseignements les plus divers. Lui et Fern partageaient leur temps entre leur château de Candé et les États-Unis, mais ces voyages continuels n'empêchaient nullement Bedaux de continuer à brasser des affaires et à lancer divers projets toujours très lucratifs.

Un premier article parut dans les journaux de New York, informant les lecteurs que l'ingénieur et explorateur Charles

Bedaux projetait de traverser le nord de la Colombie-Britannique pour ouvrir une voie jusqu'à l'océan Pacifique, en six mois et demi.

Il fut suivi d'un second article donnant plus de détails et mentionnant que Charles Bedaux, célèbre spécialiste en efficacité du travail, planifiait de conquérir une région inconnue des montagnes Rocheuses dans le but d'obtenir d'importantes données géographiques, géologiques et même météorologiques dont le gouvernement canadien bénéficierait.

Le mois suivant, pour ne pas laisser ce sujet brûlant tomber dans l'oubli, on publia deux autres reportages grandiloquents. L'un indiquait que Bedaux, cette fois qualifié de grand industriel de New York et Paris, envisageait une opération scientifique des plus sérieuses en Amérique du Nord. L'autre annonçait que Charles Bedaux, explorateur et inventeur fort célèbre, s'aventurerait sous peu dans une partie encore inexplorée du Nord-Ouest canadien.

Après avoir ainsi appâté les lecteurs, Bedaux prit enfin la parole au cours d'une conférence de presse organisée au Cloud Club de New York, le 25 mai 1934. Assis entre sa femme et leur amie Bilonha Chiesa, épouse du célèbre sportif et industriel italien, Alberto Chiesa, il déclara aux journalistes que pour cette expédition canadienne, il utiliserait les cinq autochenilles, entièrement équipées et munies de toutes les pièces de rechange possibles, que venait de lui vendre la grande société Citroën dont le patron était désormais un grand ami. Les autochenilles avaient été inventées par Adolphe Kégresse, ingénieur français de grand talent qui les avait mises au point pour l'armée russe en 1910 à la demande du tsar Nicolas II. C'étaient des véhicules qui possédaient un pont-avant directeur similaire à celui d'une automobile et un système propulseur monté sur chenilles. Charles expliqua que la société Citroën lui fournirait aussi les services d'un mécanicien spécialiste des autochenilles, du nom de Clovis Balourdet, dont le salaire serait à sa charge. Il ajouta modestement : *« Tout le monde dit que traverser en auto une partie des Rocheuses encore inexplorée est impossible. Moi, je dis le contraire. »* Bedaux avoua que depuis deux mois déjà, on travaillait aux plans de cette opération. Il expliqua que son but était de partir d'Edmonton et d'atteindre Telegraph Creek, près de l'Alaska pour ouvrir un passage jusqu'aux abords de l'océan Pacifique. Cela représentait une distance de 2 400 kilomètres, suivant un itinéraire qu'il avait lui-même soigneusement préparé.

L'Expédition Bedaux, Edmonton, Alberta

Charles annonça aux journalistes impressionnés que les participants de l'Expédition allaient d'abord utiliser les autochenilles auxquelles on ouvrirait la voie en abattant des arbres sur une largeur de 1,80 mètre, tâche peu aisée, car la végétation était très dense. La coupe des arbres était l'un des inconvénients à surmonter pour pénétrer au plus profond des territoires sauvages du Nord-Ouest canadien. Lorsque l'on ne pourrait plus se frayer de passage en auto, on utiliserait des chevaux. L'Expédition se terminerait avant l'arrivée de l'hiver, c'est-à-dire, vers la mi-octobre. *« Le 15 octobre, si nous n'avons pas atteint notre but, j'appellerai au secours par radio et on viendra nous secourir en avion. Et si l'Expédition ne réussit pas? Je laisserai à d'autres le soin de l'entreprendre et de la mener à bonne fin. »*

Il expliqua aussi qu'une première équipe s'était déjà mise en route en avril avec une partie du ravitaillement, qu'une seconde était partie ouvrir les pistes de Fort St. John à Telegraph Creek, et qu'une troisième, avec Bedaux lui-même et les membres les plus importants de l'Expédition, quitterait Edmonton en juillet. Les trois équipes devraient se rencontrer au col Sifton, à 900 kilomètres d'Edmonton, vers le 14 août. Charles s'était déjà lui-même familiarisé avec les autochenilles. Il en avait emprunté une et s'était entraîné à la conduire dans le parc du château de Candé et dans ses environs. Bedaux informa aussi les reporters que Jack Bocok, ingénieur des mines et géologue, qui avait précédemment organisé deux parties de chasse en Colombie-Britannique, effectuait déjà des reconnaissances aériennes pour établir de nouvelles cartes des régions ciblées. Il était aussi chargé d'obtenir les permis d'exploration du territoire canadien auprès des gouvernements fédéral et provinciaux.

En attendant l'octroi des papiers administratifs, ajouta Bedaux, certains membres de l'Expédition comme Fern, sa fidèle femme de chambre Joséphine, Bilonha Chiesa, John Chisholm, garde-chasse, et Clovis Balourdet, iraient tous se mettre en forme pendant trois semaines dans un hôtel luxueux de Jasper, en Alberta. On ne pouvait pas entreprendre sérieusement un tel périple sans avoir de bons muscles et une grande résistance physique : « *Nous escaladerons les montagnes, courrons derrière les mouflons pendant quelques jours et nous perdrons ainsi toute notre graisse! »*

Charles souligna aussi qu'un caméraman filmerait quotidiennement l'épopée de l'Expédition pour en tirer un documentaire, base du scénario d'un film d'aventures qui serait tourné plus tard à Hollywood. Bedaux allait en écrire lui-même le synopsis et les dialogues.

Ayant d'importantes déclarations à faire, Fern prit la parole à son tour. En préambule, elle se déclara prête à se rendre dans n'importe quel endroit de la planète à condition que son mari soit responsable de l'organisation du voyage. Cela faisait douze ans qu'elle le suivait ainsi partout autour du monde. « *Je ne conseille pas à une femme d'accompagner son époux si elle n'est pas prête à affronter la solitude et vivre à la dure. Pour moi, il n'y a rien de plus insupportable que les gens qui geignent et se plaignent au cours d'un voyage »*, insista-t-elle.

Elle révéla également quelques secrets d'élégance et de beauté : « *J'emporte, entre autres, des pantalons et des chemises de flanelle pour les différentes températures que nous allons encourir. Ma boîte de maquillage ne me quittera pas. Se retrouver en pleine nature n'est pas une raison pour se négliger. Mais évidemment, je me maquillerai moins que d'habitude. Trop de maquillage serait déplacé dans la paix et la tranquillité de ces régions sauvages!* » Fern se garda bien de mentionner qu'elle et Bilonha Chiesa se partageraient les services de Joséphine, chargée de leur apporter le petit déjeuner au lit sous la tente, de préparer leurs bains et de veiller sur leurs garde-robes. Les conceptions de vie à la dure sont des plus subjectives!

Charles reprit le micro pour rappeler : « *J'ai déjà traversé des déserts en Afrique avec une Buick Master et cinq camions Ford. On m'avait pris pour un fou, mais j'ai réussi!* » Ouvrir une voie à travers les montagnes Rocheuses et dans un territoire pratiquement inconnu n'était rien du tout par rapport aux graves dangers et difficultés encourus lors de la traversée des déserts du Sahara et de Lybie!

Le lendemain de la conférence de presse, les journaux canadiens s'emparèrent à leur tour de l'affaire et clamèrent que Bedaux avait des intentions fort généreuses. N'avait-il pas déclaré : « *Je veux faire tracer une carte de ce vaste territoire de 200 milles carrés et l'offrir au gouvernement canadien.* »

Dans le *Canadian Geographical Journal,* on admirait le courage de ce richissime ingénieur-industriel-explorateur sportif et aventurier et l'on observa que « *Cette expédition scientifique dont le coût est entièrement défrayé par Bedaux, est une bonne affaire pour le Canada.* » Il faut reconnaître que Charles Bedaux et son publiciste manipulaient fort intelligemment la presse!

Dans l'Ouest, l'*Edmonton Journal* offrit maints détails sur l'Expédition elle-même et ses participants dans une série d'articles plus alléchants les uns que les autres.

Dans l'Est, un journal de Montréal déclara qu'un endroit inaccessible du Dominion allait être traversé par un homme qui ne possédait pas une goutte de sang indien dans les veines!

Dans le *Boston Herald*, du 27 mai 1934, on cita d'autres paroles de Charles : « *Je pense pouvoir contribuer à un travail scientifique, portant sur la Colombie-Britannique, qui peut être aussi utile que passionnant. Peut-être réussirai-je, peut-être non. Dieu seul le sait! Mais, je veux essayer.* » L'explorateur avait parlé!

En Europe, la presse française, dans un journal de Paris, imprima à son tour que le millionnaire Charles Bedaux organisait une expédition insolite à travers les terres encore vierges des montagnes Rocheuses et de l'Alaska.

Charles, Fern et Bilonha quittèrent New York pour se rendre à Montréal où ils passèrent quelques jours. Charles fut interviewé par plusieurs journalistes. Un journal québécois écrivit même : « *Monsieur Bedaux est un gentilhomme parisien, à la carrure d'athlète, qui s'exprime avec une rare aisance et parle de ses exploits comme s'il s'agissait de faits très ordinaires.* » Charles dut être ravi en lisant ces lignes. Puis, les Bedaux et leur amie, accompagnés de Joséphine et de John Chisholm prirent le train pour Edmonton.

Pendant ce temps, Jack Bocock, pilier et cerveau de l'Expédition, se démenait comme un beau diable auprès du gouvernement fédéral et des gouvernements provinciaux de l'Alberta et de la Colombie-Britannique pour obtenir accords et permis. Toute demande devait être faite en plusieurs exemplaires et envoyée à Ottawa ainsi qu'à Edmonton et Victoria. Il se heurtait à une administration obtuse qui accordait des permis, puis les retirait, après avoir exprimé des doutes, pour les redonner ensuite. Les fonctionnaires s'écrivirent entre eux. Fallait-il oui ou non accorder ces permis? Et combien d'entre eux? Fallait-il en référer au ministère des Affaires extérieures? N'était-ce pas plutôt au département des Territoires de donner son accord? L'entreprise avait-elle des buts commerciaux ou des buts purement scientifiques, et lesquels? Les autochenilles seraient-elles admises au Canada avec un permis touristique de six mois? Devait-on faire payer aux responsables de l'Expédition des taxes sur ces autochenilles provenant de l'étranger? Finalement, après maints débats, il fut décidé que Bedaux devrait payer des droits d'entrée pour ses véhicules, ce qui lui permettrait d'y apposer des plaques d'immatriculation de l'ouest du Canada. Un important échange de lettres s'ensuivait à tous les niveaux.

Bocock avisa le gouvernement de la Colombie-Britannique que Bedaux souhaitait employer un topographe. On lui suggéra de contacter Frank Swannell, de Victoria, dont il retint les services.

Swannel était le type même de l'aventurier. Il avait servi dans les forces armées britanniques en Sibérie. Dans un de ses rapports, Bocock écrivit à son sujet : « *Il a la moitié du visage tordu, résultat d'une blessure reçue au cours de la Première Guerre, en France. Son aspect rude cache toutefois une grande intelligence et une grande bonté.* » Jack conseilla à Bedaux d'engager également Ernest Lamarque, de Vancouver, arpenteur-géomètre avec qui il avait déjà travaillé. Lamarque était britannique et avait émigré aux États-Unis avant de s'établir au Canada. Après avoir été employé par la Compagnie de la Baie d'Hudson, dirigé un ranch près de Calgary et travaillé dans les chemins de fer, il avait repris ses études pour devenir expert-géomètre en Colombie-Britannique. Bocock le recommanda à Bedaux en ces termes *: « C'est un loup solitaire, vêtu de guenilles, mais c'est un génie dans son domaine. De plus, il dessine et peint fort bien et s'exprime dans un langage châtié.* » À quoi Charles répliqua : « *Lamarque disposera de temps pour exécuter ses petits dessins. Ces derniers et ses aquarelles pourront être plus tard publiés dans un livre qui lui rapportera assez de droits d'auteur pour contrebalancer les six dollars par jour que je lui verserai à la place des dix dollars qu'il attendait.* » Si on pouvait économiser sur un salaire, autant en profiter!

Pendant que Bedaux recrutait d'autres personnes de son côté, Bocock continua d'organiser l'Expédition, se débattant au milieu des multiples cauchemars administratifs. Le film, qui allait être tiré de l'Expédition, tombait sous la compétence du gouvernement britannique. Charles devait donc répondre aux exigences des lois cinématographiques anglaises. Des débats sans fin s'en suivirent.

Des permis de chasse s'avéraient également nécessaires. Or, ils étaient réservés aux trappeurs. Après bien des pourparlers, les choses s'arrangèrent et Charles obtint des permis pour Fern, Bilonha, Balourdet et lui-même, en payant 300 dollars supplémentaires, somme importante pour l'époque. Il y eut aussi des démêlées avec la « Commission du contrôle des alcools de la province de l'Alberta » à cause des bouteilles de whisky achetées par Bedaux aux États-Unis. Il dut se procurer un permis d'alcool pour l'Alberta, et un autre pour la Colombie-Britannique, ne pouvant dire exactement quand et où ces bouteilles seraient consommées!

Charles Bedaux et Jack Bocock préparent l'Expédition Bedaux, 1934

Finalement, après de nombreuse négociations, le gouvernement de la Colombie-Britannique accepta de contribuer aux frais d'organisation en allouant à l'Expédition 600 dollars, somme modique par rapport aux 125 000 dollars que Bedaux allait investir aux tout débuts et auxquels allaient s'ajouter 50 000 dollars représentant les salaires et les vivres.

*
* *

CHAPITRE 6

ARRIVÉE EN ALBERTA ET PRÉPARATIFS DE L'EXPÉDITION (2)

Les Bedaux, Bilonha Chiesa avec Joséphine Daly et John Chisholm arrivèrent le 2 juin à Edmonton où ils rejoignirent les autres membres de l'Expédition. En compagnie de Bilonha, Charles donna plusieurs entrevues au *Edmonton Journal* qui rapporta ses paroles: « *Les gens d'aujourd'hui ne comprennent pas que l'on puisse trouver du plaisir et de l'amusement à entreprendre quelque chose de difficile. Je veux aussi prouver que ce voyage est faisable en autochenille.*

Deux ans après mon expédition dans la région de Hudson's Hope, dans l'ouest du Canada, j'ai dit que je reviendrai et que j'irai droit vers le Pacifique en autochenille. Hé bien, nous y voilà! Il s'agit de tenir cette promesse. L'autochenille est parfaite pour ce genre de voyage, car elle exerce la plus faible pression qui soit au centimètre carré que tout autre moyen de transport sur n'importe quel type de sol mou ou dur. »

Les impressions de Fern furent également rapportées par l'*Edmonton Journal* : *« Une expérience dangereuse? Qui peut le dire? Personne n'a jamais encore été là-bas! »* Et encore moins une femme blanche, mais cela ne semblait pas faire peur à Fern qui semblait plus préoccupée par les problèmes vestimentaire : *« Nous porterons des pantalons presque tout le temps, c'est ce qui est le plus approprié, ainsi que des culottes avec des bottes. Nous emportons aussi quelques tenues de ski. Les vêtements doivent être de plus en plus chauds au fur et à mesure que nous avancerons dans l'Ouest. Il fait toujours plus froid en haut des montagnes. Nous avons aussi des tenues spéciales faites pour nous par les Esquimaux au cas où... Mais nos tenues de ski devraient suffire. Je pense qu'elles seront assez chaudes. »*

L'équipement de camping pour l'Expédition Bedaux à Edmonton, Alberta

Les soins de beauté furent à nouveau mentionnés *:* « *Rien de tel que ce merveilleux climat pour vous conserver une peau exquise, fraîche et claire. Nous aurons toujours beaucoup d'eau chaude et mes cheveux ondulent naturellement, alors je ne m'inquiète pas pour eux. Madame Chiesa me les coupera et je couperai les siens. C'est ce que nous avons fait lors de nos expéditions précédentes.* » Fern donna également son opinion sur la vie qui l'attendait au camp : « *La vie au campement sera très confortable. On pourra y vivre très bien. Les tentes seront montées chaque soir. Nous dormirons donc sous la toile. Nos lits sont larges, style lits de camp, avec matelas à air, couettes bien chaudes et édredons. Nous avons un cuisinier et son assistant. La cuisine est une tâche qu'il ne faudrait surtout pas me confier! Quand nous resterons plusieurs jours au même endroit, ma femme de chambre prendra le relais pour nous préparer les bons petits plats dont elle a le secret, car elle est aussi excellente cuisinière, ayant toujours avec elle des boîtes de condiments d'Europe. Ses petits plats représenteront un agréable changement à notre menu quotidien. Elle a déjà fait partie de nos précédentes expéditions.*

Nos affaires personnelles sont rassemblées dans de petites malles spéciales, dans des sacs étanches, ainsi que dans des sacs de marins. Les autochenilles pourront facilement les transporter... Naturellement, cette expédition ne sera pas de tout repos. Nous devons être prêts à tout et à n'importe quoi, à voyager aussi bien en auto qu'à cheval. Mais il n'y a pas de danger réel. Tout a été soigneusement étudié et planifié dans le moindre détail. »

L'article se terminait en disant que Fern donnait l'impression qu'en tenue de ski ou en tenue équestre, elle serait toujours aussi élégante et toujours aussi femme du monde.

Bilonha, qui avait fait de nombreuses escalades dans les Alpes et voyagé dans le monde entier, donna aussi son opinion : « *Pour moi, l'impression la plus étrange que je ressens dans ce pays réside dans ces immenses étendues qui n'appartiennent à personne. En Europe, on sait exactement à qui chaque parcelle de terrain appartient depuis des générations. Ici, c'est fascinant de voir qu'il existe de vastes territoires où jamais personne n'a encore mis les pieds.* »

Quelques jours après leur arrivée et pendant que Jack continuait à réunir tant bien que mal tous les documents administratifs nécessaires, Floyd Crosby, cinéaste de Hollywood qui avait déjà filmé plusieurs documentaires dans divers pays, rejoignit les principaux membres de l'Expédition. Ils partirent tous pour Jasper où ils commencèrent leur entraînement physique qui fit sourire bien des gens, car il consistait en quelques randonnées à pied et à cheval dans les montagnes avoisinantes, entrecoupées de pique-niques et de banquets. Charles et Bilonha jouèrent au golf. Fern se promena. Une photographie de Bilonha coupant les cheveux de Charles fut publiée dans les journaux.

Les autochenilles étaient de la partie pour permettre aux membres de l'Expédition de s'entraîner à les conduire dans les environs de Jasper. Elles étaient arrivées à Edmonton, en provenance de France, emballées séparément dans des caisses pesant 300 kilogrammes chacune. Lorsqu'à bord de l'une d'elles, on fit halte au lac Maligne pour y faire le plein d'essence, une foule de curieux se précipita pour l'examiner de près.

Les fermiers et des ranchers locaux organisèrent un déjeuner et un rodéo, à Hendon, en l'honneur des Bedaux. Fern, qui avait surtout l'habitude des champs de course, n'apprécia guère ce spectacle typique de l'Ouest : « ...*Un bel effort pour monter un beau spectacle. Il y a de bons cavaliers mais de pauvres chevaux!* » Charles, lui, était ravi et offrit diverses récompenses, représentant un montant de 50 dollars aux gagnants, ce qui remporta un vif succès.

Ernest Lamarque, secondé par Tommy Wilde qui multipliait les activités de cow-boy, bûcheron et cuisinier, ainsi qu'un groupe d'hommes à cheval étaient tous partis en reconnaissance pour tracer et marquer la route. Ils la parsemèrent de petits drapeaux tricolores aux couleurs du drapeau français. Suivait un second groupe de six hommes accompagnés d'une soixantaine de chevaux, sous la direction de Reginald Geake (Nick) pour abattre les arbres et ouvrir ainsi la voie aux autochenilles. Surnommé commandant Geake, Nick était un ancien officier de marine britannique à la retraite qui possédait un ranch près de Pouce Coupé et avait la réputation d'être des plus excentriques.

Les Bedaux et les principaux membres de l'Expédition revinrent à Edmonton le 27 juin. Le lendemain, ils furent invités à dîner par la famille Bocock, à St. Albert, où ils firent connaissance du père de Jack et Bruce. Dans son journal, Fern mentionna qu'ils possédaient une jolie maison. De l'hôtel

MacDonald d'Edmonton, Charles déclara à un groupe de journalistes : *« Il n'y a rien de plus amusant que de faire ce que les gens qualifient d'impossible ! »*

Bedaux passa un accord avec l'*Edmonton Journal*, lui donnant l'exclusivité des communiqués de presse jusqu'à la fin de l'Expédition. En échange le journal s'engageait à les retransmettre aux frais de Charles au quartier général de l'Expédition, à New York, qui devait ensuite les relayer aux sièges des sociétés Bedaux à Paris, Londres, Amsterdam, Milan et Stockholm. Les messages personnels seraient envoyés à André Citroën, à Paris et à Gaston Bedaux, frère de Charles, à Beauvais. Ceux de Bilonha seraient expédiés à la villa *Berlugano*, à Beaulieu-sur-mer, dans les Alpes-Maritimes, à son époux et à son père.

Tous les participants à l'Expédition signèrent un contrat préparé par des avocats d'Edmonton où ils s'engagaient à ne pas prospecter pour leur propre compte, à n'entamer aucune poursuite judiciaire, à accepter les risques du voyage en question, et à obéir à tous les ordres de Charles Bedaux.

Le 2 juillet, on exhiba les cinq autochenilles Citroën, à qui Bedaux avait attribué des noms fantaisistes en anglais, roulant les unes derrière les autres, à travers la ville, puis sur le champ de course d'Edmonton. De couleur crème et plaquées nickel, elles avaient fière allure et attirèrent des foules de curieux dans la capitale albertaine. Sur le pare-brise de la première, on avait collé un papier avec les mots *« en transit »*, ce qui donnait officiellement l'autorisation de les conduire au

Canada avec leurs plaques d'immatriculation françaises, en attendant d'y fixer les plaques canadiennes. En Europe, on avait beaucoup parlé de ces autochenilles qui, on en était sûr, ne rencontrerait aucun problème technique en Alberta et en Colombie-Britannique. La publicité faite autour des véhicules indiquait qu'ils pouvaient grimper des pentes de 40 degrés et que les derniers essais avaient eu lieu aux environs de Paris. En avril, avant leur départ pour le Canada, les autochenilles avaient déjà été présentées à la presse à Paris, au Bois de Boulogne. Les chauffeurs des usines Citroën, qui les conduisaient, étaient tous vêtus de blanc, de vraies tenues d'opérette! La présence des Bedaux et des Chiesa avait attiré les regards du public. La cérémonie avait été filmée et photographiée avec enthousiasme. Une photo montrant Bedaux et André Citroën se serrant la main devint quasi historique. Citroën avait même exprimé son désir de réserver un stand dans son musée des Expositions à l'Expédition Bedaux. Si Charles avait intitulé son projet « *Expédition canadienne subarctique Bedaux* » en anglais et en français, Citroën et les journaux francophones la surnommèrent « *Croisière blanche* », suite au succès des « *Croisières jaune et noire* » qui avaient établi les mérites de ces voitures, mi-auto, mi-camion, montées à l'avant sur des chenilles qui leur permettaient d'avancer sur tout terrain. Les huit autochenilles de « *La Croisière noire* », avec leurs dispositifs de propulsion et bandes de roulement en caoutchouc, avaient parcouru 2 800 kilomètres à travers l'Afrique, de l'Algérie à Madagascar, en 1925. La « *Croisière jaune* », longue de 12 000 kilomètres, de la Méditerranée à Pékin, avait été particulièrement éprouvante pour les participants et les autochenilles qui avaient dû franchir les cols de l'Himalaya, le désert de Gobi et la Chine, au cours de la période révolutionnaire de 1932.

À Edmonton, en juin 1934, les journaux rapportèrent que Charles avait offert à Fern un fabuleux manteau de vison noir d'une valeur de 7 000 dollars, somme incroyable pour les habitants de la province en pleine Dépression. Les photographes s'en donnèrent à cœur joie. Bedaux, les participants et les véhicules furent maintes fois mitraillés par les objectifs. Des photographies de Fern et de Bilonha Chiesa, posant dans leur suite à l'hôtel MacDonald, avaient déjà fait la une du *Edmonton Journal*. On s'extasiait sur leur style et élégance. Elles étaient habillées de façon similaire, jusqu'à leur chapeau. Toutefois, Fern inclinait son couvre-chef vers la droite et Bilonha vers la gauche. Elles se ressemblaient tellement qu'elles auraient pu passer pour sœurs. Quelques jours avant le départ, Fern s'empressa d'aller mettre ses bijoux en sécurité dans le coffre-fort d'une banque d'Edmonton.

L'équipe principale de l'Expédition comprenait maintenant les Bedaux et leurs domestiques, Joséphine Daly et John Chisholm; Clovis Balourdet ingénieur-mécanicien pour Citroën, qui avait auparavant participé aux « *Croisières jaune et noire* » et spécialiste de la dynamite, et son assistant; Ernest Lamarque, topographe; Jack Bocok et son frère Bruce (qui était chargé des chevaux); Frank Swannell, topographe; Art Phipps, topographe et assistant de Jack Bocock; Floyd Crosby, cinéaste; Evan Withrow (seul Canadien de l'Est); Bill Murray, étudiant-dentiste de l'Université de l'Alberta et homme à tout faire; Tommy Wilke, cuisinier; J.A. Weiss, guide alpin des Alpes suisses qui transporta ses skis pendant toute l'Expédition, mais ne s'en servit jamais; Bruce McCallum, opérateur-radio, (également expert des systèmes électriques d'automobile et d'avion); et Earl Cushing, forestier, géomètre, trappeur et homme à tout faire. Bedaux projetait d'engager du personnel supplémentaire pour s'occuper des chevaux qu'on allait acheter à Fort St. John. Les équipes d'hommes partis en éclaireurs rejoindraient l'Expédition ultérieurement.

Les membres de l'Expédition Bedaux à «Canadian National Railway Station», Edmonton, Alberta.

Le 6 juillet 1934, avant le grand départ, les notables d'Edmonton offrirent une réception d'adieu au champagne dans la grande salle de l'hôtel MacDonald. La table centrale était décorée de fleurs et ornée de fers à cheval pour porter chance. Les membres de l'Expédition Bedaux posèrent à nouveau pour de nombreuses photographies devant l'édifice, puis paradèrent avec les autochenilles le long de l'avenue Jasper avant de se rendre à une seconde réception donnée à la résidence officielle du lieutenant-gouverneur de l'Alberta, W.L. Walsh.

Une partie des provisions de bouche, soit deux tonnes et demie, et 1 500 litres d'essence dans des bidons étaient déjà arrivés à Fort St. John ou avaient été déposés à divers endroits où l'on prévoyait faire halte. À l'arrière des cinq autochenilles, on avait réparti tout le reste de l'équipement qui comprenait une profusion de tables, de chaises, de lits, de tapis, de coussins, de couvertures, d'oreillers, de toilettes portables, de lampes-tempête, de sacs de couchage pour le personnel et de moustiquaires. On comptait aussi trois canots de caoutchouc gonflables et plusieurs trousses de premiers soins renfermant un grand nombre de médicaments et même des instruments chirurgicaux. Il n'y avait pas de médecin accompagnant l'Expédition, mais Charles avait assuré posséder quelques notions médicales. Dans les bagages des dames se trouvaient des chandails en cachemire, des pantalons doublés, des vestes de fourrure et un nombre incroyable de chaussures de toutes sortes. Les Bedaux et Bilonha emportaient également des selles Hermès et leurs sacoches assorties, du nom du grand couturier français qui avait précédemment apposé sa griffe à l'équipement équestre de luxe. Charles avait même empaqueté ses pyjamas de soie et une bibliothèque privée qui comptait 200 ouvrages, romans et grands classiques de Victor Hugo, d'Anatole France et de Charles Dickens, ayant maintes fois proclamé que Fern et lui aimaient lire en voyage. Il y avait aussi l'équipement cinématographique de Floyd Crosby comprenant cinq grosses caméras, plusieurs appareils photo et des kilomètres de pellicules, les instruments topographiques de Frank Swannell et d'Art Phipps, plus des sextants et plusieurs paires de jumelles, un émetteur-radio avec dynamo, batterie et antenne, des harnais spéciaux pour chevaux de traits afin de tirer les véhicules s'ils s'embourbaient, un treuil de 200 kilogrammes, deux rampes métalliques de désensablage, des câbles de toutes sortes, des bougies en grandes quantités, des haches, une forge et son enclume, des foreuses à bois manuelles, 10 000 cigarettes de cinq marques différentes et 10 000 de marque Lucky Strike en provenance des États-Unis, 10 kilogrammes de tabac à pipe et 15 kilogrammes de tabac à chiquer. Il y avait une tente pour la cuisine et une autre pour la salle à manger qui pouvait contenir 24 personnes, toutes deux de couleur vert pâle. On comptait également 6 autres tentes fabriquées à Londres pour les membres les plus importants de l'Expédition. Bedaux avait eu l'idée d'incorporer de l'amiante à la toile de ces tentes, les rendant ainsi ininflammables. Chaque tente possédait son propre poêle à bois, muni d'un long tuyau de cheminée.

L'une des autochenilles tirait la remorque transportant une batterie de cuisine complète, avec casseroles et poêles à frire, 16 autocuiseurs, de grosses bouilloires, de la vaisselle ordinaire, un service entier en porcelaine fine et des verres en cristal. Outre les innombrables boîtes de conserves, base de l'alimentation au cours de l'Expédition, il y avait 100 kilogrammes de macaroni, 10 kilogrammes de spaghetti avec une meule de fromage de 52 kilogrammes et 150 autres petites boîtes de fromage suisse. On emportait aussi des caisses de foie gras, de caviar, de fruits confits et autres douceurs dont 200 tablettes de chocolat, des caisses de champagne, de vin rouge et blanc du meilleur cru.

Dans chaque autochenille, trois passagers pouvaient s'asseoir sur les banquettes avant. Avec l'énorme matériel que transportaient les autochenilles, on se demande encore comment les participants à l'Expédition pouvaient respirer à l'intérieur des véhicules!

Avant de les voir quitter Edmonton, les badauds purent reconnaître Bilonha dans la seconde autochenille en compagnie de Floyd Crosby. Jack Bocok, Frank Swannell et Joséphine étaient dans la troisième. John Chisholm, Earl Cushing et Art Phipps se trouvaient dans la quatrième. Balourdet était au volent de la cinquième, avec Bruce McCallum et Art Phipps.

Après avoir prononcé cette phrase historique : « *Si je réussis, une vaste région qui n'a jamais été explorée sera ouverte à jamais* », Bedaux se mit au volant de la première autochenille. Avec Fern à ses côtes, il salua la foule venue assister à leur départ. « *La caravane d'autochenilles de Bedaux quitte la capitale!* » clamèrent le soir même les grands titres des journaux. Escortés par un grand nombre d'automobiles et de bicyclettes klaxonnant pour les encourager et fêter leur départ, les membres de l'Expédition se frayèrent lentement un chemin vers la sortie d'Edmonton, dans la direction du nord de l'Alberta. L'aventure commençait.

Charles Bedaux répare un fusil, l'Expédition Bedaux, 1934

LISTE DES PARTICIPANTS À L'EXPÉDITION
(Tous les noms n'ont pas été retrouvés)

Balourdet, Clovis :	mécanicien des usines Citroën, spécialiste des autochenilles
Bedaux, Charles :	industriel multimillionnaire. Chef de l'Expédition
Bedaux, Fern :	son épouse
Beattie, Robert :	responsable des chevaux et des cow-boys
Bocock, Jack :	organisateur de l'Expédition. Ingénieur-géologue
Bocock, Bruce :	chargé des chevaux, assistant de Balourdet et de Crosby
Chiesa, Bilonha :	amie des Bedaux
Chisholm, John :	valet de Charles Bedaux
Clark, Stanley :	cow-boy
Crosby, Floyd :	caméraman
Cushing, Earl :	expert forestier et géomètre
Daly, Joséphine :	femme de chambre de Fern Bedaux
Geake, Reginald (Nick) :	chargé de l'abattage des arbres

Lamarque, Ernest :	expert-géomètre
MacDougall, Jack :	éclaireur
McCallum, Bruce :	opérateur-radio
Murray, William :	homme à tout faire
Paul, Arthur :	ingénieur agronome et cuisinier
Phipps, Alfred (Art) :	assistant de Jack Bocock
Pickell, T.E. (Bill) :	éclaireur
Swannell, Frank :	géographe
Weiss, J.A. :	guide suisse de montagne
Wilde, Thomas (Tommy) :	bûcheron et cuisinier
Withrow, Evan :	second cuisinier, assistant de Crosby

Groupe Beattie :   Walter Thomlison, Edgard Dopp

Groupe Geake :   Robert White, Robert Godberson, Willard Freer, Ernest Peterson, Carl Davidson

Groupe Lamarque : Earl Cushing, Arthur Paul, Henri Blackman, William Blackman, Cecil Pickell, Bernard Lundquist, William Lundquist et H.I. Lundquist

*
* *

CHAPITRE 7

DES DÉBOIRES CONTINUELS (1)

Au moment où les participants à « *l'Expédition canadienne subarctique Bedaux* » quittaient les limites de la ville, il se mit à bruiner. Ils atteignirent St. Albert où on leur souhaita la bienvenue avec un long discours en français. Plus tard, on les accueillit avec joie à Morinville. Les gens s'étaient assemblés le long de la route, agitant pancartes et drapeaux. Après avoir parcouru 86 kilomètres, le groupe s'arrêta pour camper à Clyde où une tempête fit rage pendant la nuit, empêchant Charles de dormir.

Le lendemain, il pleuvait à verse. Ils durent s'arrêter plusieurs fois pour sortir les autochenilles de la boue gluante où elles s'enlisaient et nettoyer leurs propulseurs. Il leur fallut onze heures pour atteindre la petite ville d'Athabasca. Dans son journal, Bedaux, qui s'était déjà plaint du crissement que faisaient les moteurs des autochenilles, écrivit : « *Les engrenages des autos font entendre cet horrible bruit de pièces moulues... Je découvre les joies d'une machinerie criante sur fond sonore de moulin à café, dû aux engrenages* », grincement qui allait persister tout au cours du voyage.

Une autochenille en difficulté

À Athabasca, Balourdet et Chilsholm passèrent la nuit à boire dans le saloon local, braillant des chansons françaises et écossaises devant le comptoir jusqu'au petit matin. Dans leur beuverie, ils entraînèrent non seulement Art Phipps et Floyd Crosby, mais également un agent de la Police montée et un vieux monarchiste qui vivaient dans les environs.

Après avoir quitté Athabasca le 8 juillet, on s'aperçut que le réservoir de l'autochenille conduite par Bedaux perdait de l'essence et ils arrivèrent tant bien que mal à Smith où ils montèrent le camp.

Ils campèrent le lendemain à Slave Lake et traversèrent la rivière Athabasca. Les chemins étaient de plus en plus marécageux. Au cours des jours qui suivirent, le groupe encourut plusieurs fois le même problème : la boue étant omniprésente, les moteurs des autochenilles refusaient de démarrer ou calaient sans cesse. Ils ne parcoururent que 90 kilomètres.

Ils atteignirent ensuite High Prairie où ils passèrent la nuit dans l'hôtel de cette petite ville qui les surprit agréablement par sa propreté.

Le matin du 11 juillet, ils levèrent le camp très tôt et traversèrent la rivière Smoky. À Grande Prairie, ils furent escortés jusqu'à l'entrée de la ville par les Indiens de la tribu Beaver, à cheval. La population locale les accueillit chaleureusement, ce qui toucha le cœur des voyageurs. Le maire leur fit aussi un discours fort flatteur. D'après le programme prévu par Bedaux, ils avaient déjà perdu deux journées, la pluie les ayant forcés à conduire lentement. Charles envoya lui-même un télégramme, servant de communiqué de presse, car il avait annulé le contrat de son publiciste de New York pour être seul responsable des informations à disséminer à la presse quant aux diverses étapes de l'Expédition. Les salles de nouvelles reçurent le message que Bedaux et son entourage avaient atteint Grande Prairie, après avoir parcouru 687 kilomètres au nord-ouest d'Edmonton, à la vitesse moyenne de 13 kilomètres à l'heure à cause des orages et de la pluie qui ralentissaient leurs progrès, et que les routes étaient fort boueuses!

Après quatre heures d'efforts constants le 12 juillet pour faire seulement 16 kilomètres dans la boue, les membres de l'Expédition arrivèrent à la prochaine étape. Les habitants de Wembley vinrent à leur rencontre et les accompagnèrent jusqu'à leur petite ville avec quelques autos qui s'embourbèrent les unes après les autres sur la route détrempée. Crosby filma la population acclamant l'arrivée de l'Expédition. Comme Bedaux avait recruté les figurants à grands coups de dollars, les cris de joie étaient d'autant plus sincères que l'endroit subissait fortement les effets de la Dépression.

Le lendemain, avant d'arriver à Hythe, Charles se débarrassa d'une partie de l'équipement de Swannell pour alléger l'une des autochenilles. La réaction de ce dernier est inconnue! Les membres de l'Expédition passèrent la nuit dans l'unique hôtel de Hythe dont Charles se plaignit de la médiocrité et surtout du mauvais steak qu'on lui avait servi au dîner. Par contre, il consigna dans son journal qu'il avait passé « *...une douce nuit avec Bilonha* », malgré ses problèmes digestifs!

Le jour suivant, il pleuvait toujours à verse et ils ne purent que parcourir 17 kilomètres dans la direction de Tupper Creek. Les autochenilles fonctionnaient de plus en plus mal. Elles avaient réussi à traverser les déserts africains et surmonter les problèmes posés par le sable, mais succombaient aux difficultés techniques entraînées par les pluies d'été. Bedaux remarqua : « *La boue se soude sur les chevilles et pénètre partout, jusque dans les roulements. Les bandes de roulement finissent très rapidement en lambeaux tant l'adhérence au sol est forte!* » Balourdet avait déjà passé deux jours entiers à les réparer. La boue abîmait non seulement les pignons, roues dentées s'engrenant dans des roues plus grandes, mais aussi les boîtes de vitesse.

Le 15 juillet, on mit plus de dix heures pour rejoindre Tupper Creek, à 59 kilomètres seulement de Wembley. Pendant deux jours, ils furent les hôtes d'un couple pittoresque, les Barches. Après des années mouvementées, lui, ancien chercheur d'or du Klondike et elle, danseuse de cabaret à la retraite, s'étaient installés à Tupper Creek pour y mener une vie plus calme. La famille Barches accueillit les membres de l'Expédition à bras ouverts. Cette visite représentait un agréable changement à leur routine quotidienne.

Bedaux demanda à Pickell et à MacDougall de construire un radeau afin que les autochenilles pussent traverser un cours d'eau malencontreusement placé sur la route, puis l'un des membres de l'Expédition, Bill Murray, tomba en disgrâce et fut renvoyé par

Charles pour cause de paresse. Pendant les nombreuses haltes, le jeune homme ne faisait pas grand'chose, sinon bavarder avec les jeunes femmes curieuses et impressionnées qui s'agglutinaient autour des hommes et des véhicules. Ce jour-là, Swannell, qui, en compagnie de Bedaux, se trouvait sous l'une des autochenilles pour la débarrasser de la boue, vit soudain Charles se relever, tirer quelques billets de banque de sa poche et signifier calmement son congé à Bill qui l'accepta en souriant, au milieu de sa cour d'admiratrices. Peut-être était-il soulagé de ne plus faire partie de cette aventure qui commençait à mal tourner!

Une autre autochenille en difficulté

Le mauvais temps représentait un obstacle de taille. Les pluies continuelles atteignirent un record au cours de l'été 1934. On n'avait jamais vu autant de boue en découler et elle n'était plus superficielle comme elle l'avait été aux alentours d'Edmonton. Plus l'Expédition s'avançait sur les routes peu fréquentées, plus la boue devenait grasse et collante. Les habitants de la région l'appelaient « *gumbo* », dérivé du mot anglais *gum* ou gomme en français. « *Cette boue est comme de la glaise,* nota Fern dans son journal, *si c'était une boue ordinaire, on pourrait s'en accommoder, mais celle-là colle partout et bloque tout. Nous devons nous arrêter souvent pour nous en débarrasser. Elle s'accumule même sous les chaussures.* »

Charles en fit l'expérience lui-même le 16 juillet. Étant sorti de l'autochenille qu'il conduisait sur une route détrempée, il y perdit non seulement ses bottes, mais aussi ses chaussettes, et hurlant de rire, se retrouva pieds nus dans la boue. Sous peu, il allait moins rire...

Après avoir passé une autre journée à réparer l'une des autochenilles à Taylor pour s'apercevoir le lendemain qu'une autre ne fonctionnait plus, ils atteignirent Pouce Coupé où Jack Bocock et Balourdet réparèrent à nouveau les véhicules. Le 17 juillet, ils arrivèrent finalement à Fort St. John. Là, des cow-boys locaux les escortèrent à cheval jusqu'au centre-ville, avec tapage et cris de joie et d'encouragement. Cela faisait onze jours déjà que les membres de l'Expédition avaient quitté Edmonton. Trois jours entiers avaient été passés en réparation. Ils avaient parcouru une distance de plus de 900 kilomètres, accompagnés sans répit par la pluie. Bedaux décida qu'ils devaient tous se reposer.

À Fort St. John, l'arrivée des autochenilles et des membres de l'Expédition créa une diversion des plus intéressantes pour les habitants. Charles envoya immédiatement un télégramme au lieutenant-gouverneur de l'Alberta, à Edmonton, l'informant que, malgré les problèmes techniques encourus par les autochenilles, les voyageurs se portaient tous bien, appréciaient beaucoup l'hospitalité des gens de l'Ouest et « *allaient maintenant pénétrer en région inconnue* ». Le télégramme fut publié dans l'*Edmonton Journal,* suivi d'un article rapportant que Bedaux avait dépêché un échantillon de la boue dont il se plaignait en France pour analyses. Il n'avait jamais vu une fange pareille!

Les sœurs d'une mission religieuse locale offrirent l'hospitalité à Fern et à Bilonha qui n'eurent pas à dormir sous leur tente pendant quelques nuits. Charles s'en plaignit bruyamment, car il n'aimait pas dormir seul. Pendant que Balourdet révisait le moteur des autochenilles dans l'unique garage de la petite ville, changeant les pignons, les couronnes des volants et remplaçant les bandes de roulement de deux d'entre elles, Charles acheta une centaine de chevaux aux fermiers locaux, payant 65 dollars par animal au lieu du prix habituel de 10 dollars. Il recruta également du personnel pour s'en occuper. Comme il offrait 4 dollars par jour comme salaire, ce qui représentait plus du double de ce que les gens gagnaient à l'époque dans la région, on peut imaginer le succès qu'il remporta. L'Expédition comportait désormais 43 personnes dont une douzaine de cow-boys à cheval et deux équipes d'éclaireurs parties depuis quelque temps déjà.

Bedaux acheta aussi un grand nombre de selles, de tapis de selles, de brides, de mors et de rênes. Il demanda à un garagiste de Fort St. John, Bert Bowes, de fabriquer une cinquantaine de réservoirs en fer pour transporter l'essence nécessaire aux cinq autochenilles. Très généreux, il fit don de 40 000 dollars à la petite ville pour construire des conduites d'eau potable. Les habitants de Fort St. John, qui attendaient avec impatience que la Dépression s'estompât, se mirent à l'adorer!

Malheureusement, certains des chevaux que Bedaux avait achetés n'étaient pas encore débourrés. Lorsqu'on essaya d'arrimer boîtes et sacs contenant les provisions sur leur dos, ils ruèrent et s'enfuirent dans toutes les directions. Les nouveaux employés de Charles se précipitèrent pour les rattraper. On décida alors d'attacher des clochettes à l'encolure des animaux pour les retrouver plus facilement s'ils s'échappaient ou se perdaient.

La Chambre de commerce et les notables locaux organisèrent un banquet avant le départ imminent des membres de l'Expédition pour remercier leur chef si bienveillant et si généreux. Soixante personnes assistèrent à la fête et prononcèrent chacune un discours pour exprimer leur profonde gratitude à Charles. Ce dernier, surpris et fatigué par les allocutions successives, les remercia par quelques mots brefs, puis mentionna qu'il avait l'intention de construire un pavillon de chasse sur les rives du lac Redfern, à proximité de Fort St. John, soulignant qu'il avait traqué le gros gibier avec succès dans tous les coins du monde. L'auditoire resta pantois d'admiration. Non seulement Bedaux avait-il dépensé beaucoup d'argent dans la petite ville-même, mais il avait aussi l'intention de revenir chasser dans la région! Quel homme altruiste! Quelle aubaine d'avoir « *L'Expédition canadienne subarctique Bedaux* » faisant halte à Fort St. John!

Charles demanda à Floyd Crosby de filmer les rues de la petite ville pour en incorporer les scènes dans le long métrage qu'il projetait. Chaque habitant qui participa au tournage reçut un billet de dix dollars. Une vraie fortune! Plusieurs cow-boys furent jetés à bas de leurs montures. Plusieurs chevaux, n'ayant pas été bien dressés se montraient fort nerveux. De plus, aucun d'eux n'avaient l'habitude de poser pour les caméras.

Comme le matériel nécessaire à l'Expédition allait être désormais transporté à dos de cheval, on en réorganisa la distribution. Bedaux décida que le dernier cheval transporterait la dynamite et les détonateurs. On peut imaginer la nervosité des membres de l'Expédition quant à cette décision, mais Charles les rassura en expliquant que si le cheval en question se conduisait mal, les effets seraient moindres puisqu'il était en fin de ligne et que ce serait l'animal qui serait détruit en premier par l'explosion (du moins, on l'espérait!). On sélectionna un cheval pour porter la cargaison de papier de toilette et un autre pour les paires de chaussures de ces dames dont le nombre impressionnant ne semblait guère logique, vu qu'elles se promenaient toujours en bottes à cause de la boue. Un troisième eut l'honneur d'être chargé de l'imposante batterie de cuisine. Un quatrième transbahutait la baignoire.

Partir en terrain inconnu et dans l'un des endroits les plus reculés du monde n'était pas une raison pour oublier ses aises et habitudes pour autant et laisser de côté les avantages du confort moderne que l'argent permettait d'acquérir. D'ailleurs, lors des expéditions précédentes, les Bedaux avaient toujours apprécié le luxe que leur procurait leur fortune. Pourquoi voyager à la dure quand on peut s'offrir tout ce qui peut contribuer au bien-être personnel? On pouvait sourire et s'étonner de l'opulence de l'Expédition à une époque où la Dépression sévissait en Amérique du Nord, mais qui allait y trouver quelque chose à redire?

Le matériel cinématographique et celui des arpenteurs-géomètres furent aussi répartis entre les chevaux de bât. Juste avant le départ, on fit cadeau à Fern d'un terrier qu'elle baptisa Waspie et qui devint la mascotte de l'Expédition. La chienne avait de si petites pattes qu'elle ne pouvait pas suivre les chevaux. L'un des cow-boys du groupe de Lamarque, Cecil Pickell, auteur d'un compte-rendu de l'Expédition, mentionna dans ses mémoires qu'il plaçait quotidiennement le terrier devant sa selle et que son cheval les transportait ainsi tous les deux. Un an après l'Expédition, Fern, qui avait gardé le chien, écrivit à Cecil pour l'informer du décès de Waspie. Deux autres chiens, Buster et Bobby, appartenant à des cow-boys, s'étaient joints à l'Expédition. Buster avait le don d'exaspérer Bedaux. Dès qu'il le pouvait, il s'introduisait sous la tente de Charles, y laissait des souvenirs malodorants et détruisait tout ce qu'il réussissait à attraper. Il avait même osé mâchouiller sa brosse à cheveux favorite!

Une tempête bloqua toutefois les voyageurs à Fort St. John pendant deux longs jours, retardant leur départ. Swannell qualifia le centre-ville « *d'océan de boue* ». Charles envoya plusieurs télégrammes et lettres à la société Citroën en France, réclamant diverses pièces de rechange pour les autochenilles. Il suggéra qu'on les lui envoyât du Havre jusqu'à la ville de Québec, et de là, par train et avion jusqu'à Fort St. John. Puis, se rendant compte que les pièces de rechange seraient bien trop lourdes pour être transportées par avion jusqu'en Colombie-Britannique, Bedaux revint sur sa décision et annula les commandes. Dans une lettre adressée à André Citroën, il expliqua : « *Ne croyez pas, cher Monsieur et ami, que le ton de ma lettre indique un découragement. Notre détermination de réussir n'a jamais été plus ferme; mais Balourdet reconnaît déjà que, quoique que le chemin parcouru jusqu'ici ne soit que de 960 km, il représente l'épreuve la plus rude de toutes celles auxquelles nos voitures ont déjà été soumises.*

Vos chenilles ont créé ici un intérêt considérable et, si nous réussissons, il serait bon que vous envoyiez l'année prochaine une chenille de démonstration équipée de racleurs spéciaux que Balourdet proposera dans son rapport pour refaire la route Edmonton - Fort St. John en temps de pluie. Il faut vous dire que quand il pleut, tout transport cesse à cause du gumbo... Je suis convaincu qu'une voiture spécialement adaptée à la boue gumbo refaisant le même parcours avec un vendeur, ferait des affaires intéressantes. Les Canadiens ont besoin de vos machines et ils se plaisent à le reconnaître. »

*
* *

CHAPITRE 8

DES DÉBOIRES CONTINUELS (2)

Il continuait à pleuvoir et à venter. Finalement, la pluie cessa et le 22 juillet, dans l'après-midi, on reprit la route avec les meilleurs vœux de réussite de la population entière de Fort St. John.

Parti en éclaireur, Lamarque avait déjà atteint le village de Whitewater, appelé maintenant Fort Ware. Il envoya un message indiquant que la route était difficile jusqu'à cet endroit, mais que le projet était toujours réalisable. On avait également besoin d'un plus grand nombre d'hommes pour couper les arbres et préparer la voie.

Le 23 juillet, ils campèrent à Montney, dernier village à pouvoir être atteint par la route. À partir de là, il fallait créer une piste. Alors qu'elles traversaient une large rivière lors d'une accalmie, le moteur de deux des autochenilles cala, puis les trois autres tombèrent en panne à leur tour. Il fallut donc remorquer les cinq véhicules l'un après l'autre avec des câbles dans des terrains transformés en marécages. Bien qu'il n'eût cessé de réparer les cinq moteurs, la fierté de Balourdet, spécialiste des autochenilles, était gravement atteinte. Les autres membres de l'Expédition l'aidaient de leur mieux, mais se retrouvaient aussi impuissants que lui face au *gumbo*. L'Expédition n'avança que de quelques kilomètres. La pluie était revenue et le camp fut inondé.

Le 24 juillet, Bedaux rédigea dans son journal : « *Nous avons traversé de vrais marais. Les voitures 2 et 3 sont restées embourbées. Les roues avant de la voiture 3 ne vont pas droit. Jack Bocock est nerveux. À un certain moment, la voie est facile et nous avançons sans problème dans des buissons naissants, puis nous nous retrouvons face à une pente glissante dûe à des éboulis de montagne causés par le ruissellement des pluies. Tous les cow-boys et mécaniciens improvisent une route à la pelle et à la pioche pour faire passer les voitures.* »

À bord du véhicule qu'il conduisait lui-même, Charles glissa dans une rivière. On se servit du treuil heureusement emporté pour sortir l'autochenille de l'eau. Le soir, on monta le camp dans la boue... Cela devenait quasiment une habitude!

Au matin, on s'aperçut que les chiens s'étaient sauvés pendant la nuit. Fern refusa de bouger tant qu'on ne les eût pas retrouvés. L'un des cow-boys, Bob Beatty, partit à leur recherche pendant que les autres levaient le camp. En chemin, les autochenilles s'embourbèrent de nouveau. Cette fois, il fallut non seulement sortir le treuil, mais aussi les rampes de désensablage. Le soir, on monta le camp dans une prairie détrempée, mais non boueuse. Un changement appréciable.

Ils ne parcoururent que 12 kilomètres le lendemain, car ils passèrent beaucoup de temps à combler un trou immense avec du bois et des branches pour faire passer les véhicules un par un.

Enfin, au cours de la soirée suivante, les membres de l'Expédition arrivèrent exténués à Cache Creek. Au dîner, Bedaux servit fortes quantités de whisky pour remonter le moral de ses troupes. Le mauvais temps les bloqua pendant plusieurs jours à cet endroit.

Une autochenille sur un radeau de fortune

Ce fut Clovis Balourdet, connaissant bien l'état lamentable dans lequel se trouvaient les autochenilles, qui expliqua à Charles qu'il fallait prendre une décision quant aux véhicules dont les réparations retardaient sans cesse les progrès de l'Expédition à travers cette région magnifique, mais fort hostile. Swannell prit la défense des autochenilles. On était arrivé jusque dans ces lieux-mêmes grâce à elles! Pourquoi ne pas continuer? Tommy Wilde comprenait le point de vue de Clovis. Après avoir demandé à chaque membre de L'Expédition son avis sur la décision à prendre, Bedaux annonça qu'il allait y réfléchir.

Il écrivit à son frère Gaston, en France : « *Nous avons donc décidé d'aller aussi loin que possible avec les voitures et nos propres moyens et plus tard, d'atteindre le Pacifique avec les chevaux. Tu diras à M. Citroën que quand il verra le film, il se rendra compte que l'épreuve a été des plus rudes et que si les cinq voitures doivent périr, ce sera d'une mort glorieuse.*

En ce moment, nous sacrifions beaucoup de choses pour nous alléger. J'abandonne aujourd'hui la radio et son opérateur. »

En effet, à la surprise générale, Charles congédia Bruce MacCallum, l'opérateur-radio. L'émetteur n'était pas assez puissant pour atteindre la station la plus proche. La radio ne servait donc à rien et Bruce n'était guère populaire parmi les membres de l'Expédition, car il se tenait à l'écart et ne mettait jamais la main à la pâte. Il quitta l'Expédition à Cache Creek et retourna à Vancouver. Bedaux résolut le problème du manque de radio en renvoyant fréquemment jusqu'à Fort St. John des cow-boys, porteurs de dépêches à télégraphier à New York et à Paris. Il continua à contrôler entièrement les rapports expédiés aux médias. Un article parut dans les journaux, indiquant que les membres de l'Expédition Bedaux étaient sur le point de pénétrer dans les territoires les plus sauvages de l'Ouest canadien. On informait aussi les lecteurs que les progrès de l'Expédition seraient publiés en détail dès que les problèmes de radio seraient résolus.

Une équipe, composée de cow-boys, partait tous les jours en reconnaissance pour préparer le terrain et ouvrir la voie, coupant les arbres et aplanissant le sol. Les progrès étaient extrêmement lents. Malheureusement, le groupe de Geake, chargé de l'abattage des arbres, ne les coupait pas assez bas. Les axes des autochenilles heurtaient sans cesse les souches que l'on devait recouper. Dans son journal de bord, Fern consigna : « *Des marécages et des souches d'arbres, des souches d'arbres et des marécages, puis la tourbière. Cela va de mal en pis. Je m'inquiète pour Charles. Il en a assez. Il est physiquement exténué. Déçu par les autochenilles... Je l'ai vu poser la tête sur le volant. Je suis sûre qu'il avait envie de pleurer.* »

Après quatre jours d'arrêt en raison du mauvais temps et dont ils profitèrent pour réparer à nouveau les autochenilles, ils quittèrent Cache Creek pour reprendre la route, le 31 juillet, et faire un peu plus de 27 kilomètres. Franchissant avec alacrité une grande descente qui se présenta devant eux, les membres de l'Expédition se retrouvèrent au sommet d'une montagne d'où le panorama exceptionnel leur coupa le souffle. À nouveau, Charles et son véhicule, le premier du groupe, comme d'habitude, furent bloqués par la boue. Il dut même porter Waspie, la petite chienne de Fern, dans ses bras et la mettre en sûreté dans ceux de sa maîtresse, restée prudemment en arrière. Là encore, il fallut utiliser les rampes de désensablage, car même les chevaux, attelés à l'autochenille en question, ne purent la tirer du *gumbo*. Bilonha et Joséphine cueillirent des framboises sauvages pour le dessert du déjeuner. Pour ne pas être en reste d'amabilité, le lendemain, Fern fit une distribution générale de chewing-gum.

Lorsque la pluie cessa, il se mit à faire très chaud et des nuées de moustiques attaquèrent les voyageurs. Floyd Crosby demanda à Frank Swannell et à Art Phipps de participer à une scène de tournage. Au volant d'une des autochenilles, Balourdet s'engagea à travers les buissons, alors que Frank et Art, juchés sur le capot, coupaient des branches à la hache. Des Autochtones perplexes assistèrent à la scène. Le lendemain, un violent orage éclata. La pluie revint et tomba sans répit pendant trois jours, accompagnée de vents violents. Les membres de l'Expédition se retrouvèrent à nouveau coincés, cette fois, sur les bords de la rivière Cameron.

Le 1er août comme les provisions commençaient à manquer, Bedaux renvoya Bill Pickell, avec cinq chevaux de bât jusqu'à Fort St. John pour y acheter de la farine, du sucre et du bacon. Il y envoya également Bob Beattie avec mission d'acheter des chevaux supplémentaires de selle et de bât.

Le jour suivant, Charles consigna dans son journal une expérience ébouriffante à bord de l'autochenille qu'il conduisait vers la rivière Halfway : « *La descente vers la Halfway, en pente raide sur environ*

300 mètres, est terrifiante. Elle ferait faire dresser les cheveux de n'importe quel homme normal... Passé un certain degré de déclivité, les voitures cessent de pouvoir se freiner et glissent de travers jusqu'à la rencontre d'un obstacle qui les arrête. Un sentiment de vertige, je peux vous l'assurer, m'étreint. Je me suis offert une descente de 30 mètres hier et je ne l'oublierai jamais, aussi longtemps que je vivrai... Bruce Bocock triche pour la caméra et nous filmons une scène truquée, montrant ce qui se serait passé si le câble avait cassé. Nous nous installons près de la rivière Halfway. »

Ils avaient mis huit heures pour arriver à cet endroit. Les hommes étaient exténués. Le mauvais temps et les problèmes des moteurs des autochenilles, auxquels allait s'ajouter sous peu le manque d'essence, arrêtèrent à nouveau les progrès de l'Expédition.

Les membres de l'Expédition célèbrent au champagne

Beatty revint, 48 heures plus tard, avec 25 chevaux de selle et en compagnie d'un cowboy du nom de Stanley Clark qui, lui, menait 28 chevaux de bât dont quelques-uns transportaient un lot de cinq nouvelles selles. Quand le temps se mit au beau, l'Expédition quitta finalement les abords de la rivière Cameron. Floyd Crosby filma le lever du soleil avec la lumière se reflétant sur la carrosserie des autochenilles. À nouveau, il fallut utiliser les câbles et les treuils pour hisser les autos au sommet des collines. Les descentes étaient aussi dangereuses que les montées, car les véhicules glissaient dans la boue.

Après une autre nuit sous la tente, ils arrivèrent à une vielle ferme occupée par une famille de Danois, les Westergaard où ils purent acheter de la viande et des légumes. Un peu plus tard, sur la piste, ils rencontrèrent deux frères qui habitaient les environs et qui leur offrirent leurs services comme guides. Malheureusement, d'un naturel agressif, ils se disputèrent avec Tommy Wilde et en vinrent même aux mains. Bedaux dut s'interposer pour que le calme revînt et les deux frères s'éclipsèrent. Puis, les membres de l'Expédition atteignirent Iron Creek. Avec treuils et câbles, ils purent traverser la rivière Halfway et montèrent leur camp sur ses rives. Charles nota dans son journal : « *Nous regardons la Halfway River avec un regard de défaite. Je décide de faire construire un radeau, et pour cela, je tiens conférence avec Bocock, Balourdet, Swannell et Chisholm.* »

Pendant qu'on construisait le radeau à grand renfort de troncs d'arbres, de branches et de câbles, Floyd Crosby partit repérer les lieux pour les prochaines séances de tournage. Le paysage magnifique et les eaux tourbillonnant dangereusement ne pouvaient qu'ajouter un élément naturel de grandeur à son film.

Le 9 août, sur les rives de la rivière Halfway, Bedaux prit finalement une décision. Le nord des provinces de l'Alberta et de la Colombie-Britannique se révélant une contrée bien trop inhospitalière pour ces véhicules, il décida d'abandonner les autochenilles.

Charles écrivit dans son journal : « *Admettre sa propre défaite est difficile dans cette affaire.* » Il avait plusieurs fois confié à Jack Bocock que les autochenilles consommaient une plus grande quantité d'essence que prévue. Il valait donc mieux les détruire, le coût de l'essence pour les ramener jusqu'à Edmonton s'avérant trop onéreux. Charles dépêcha Bill Pickell, frère de Cecil, et Jack MacDougall prévenir Geake et ses collègues, qui se trouvaient à plus de 300 kilomètres de là, d'arrêter de scier les arbres pour faire place aux véhicules. Dorénavant, il fallait simplement couper une piste pour les chevaux.

*
* *

CHAPITRE 9

LA FIN DES AUTOCHENILLES

Avant de se débarrasser des autochenilles, Charles leur attribua un rôle dans son documentaire pour en tirer quelque publicité. Il expliqua dans son journal de bord : « *Les voitures sont condamnées. Je tiens une conférence pour prendre les mesures qui s'imposent avec Swannell, Bruce Bocock et Balourdet. Nous allons avoir une grosse préparation pour les prises de vue. Je demande à Crosby de m'accompagner pour repérer l'endroit de leur chute.* »

Les membres de l'Expédition furent tous mis à contribution. Transpirant et haletant, ils passèrent trois jours à hisser deux des autochenilles jusqu'au confluent des rivières Graham et Halfway, à une quarantaine de mètres en surplomb. On remplit les véhicules de boîtes de carton vides qui avaient contenu des vivres. L'excitation était à son comble lorsque deux hommes s'installèrent au volant et avancèrent jusqu'au bord de la falaise.

Crosby commença à filmer. Les conducteurs sautèrent au dernier moment. Dans un fracas épouvantable et avec les boîtes de carton volant dans toutes les directions, les autochenilles basculèrent, rebondirent sur les rochers et tombèrent lourdement dans l'eau. Comme l'écrivit Swannel dans son journal, l'effet fut spectaculaire. Après le filmage, les membres de l'Expédition levèrent le camp pour l'installer un peu plus loin, dans un endroit plus tranquille.

Quelque temps plus tard, de Fort St. John, on envoya un télégramme par radio au *New York Times* pour prévenir que des membres de « *L'Expédition canadienne subarctique Bedaux* » venaient d'échapper de justesse à un grave accident en traversant la rivière Halfway. Heureusement, ils avaient réussi à s'extirper des deux véhicules avant que ces derniers ne tombent dans les eaux bouillonnantes. Le télégramme de Bedaux annonçait : « *Nos autochenilles n'ont pas résisté au climat. Normalement, les mois de juillet et août représentent la saison sèche dans ce pays, mais nous avons eu de la pluie 31 jours sur 37. Les ruisseaux, qu'en temps ordinaire on peut traverser sans aucun problème, sont devenus de vrais torrents.*

Quand nous avons atteint la rivière Halfway, près de la rivière Graham, les eaux étaient gonflées et bouillonnantes. Nous avons tenté d'éviter la traversée en contournant une montagne, mais la terre, imbibée d'eau, s'est écroulée sous le poids des autochenilles qui ont été précipitées de la falaise dans le lit de la rivière furieuse. Les conducteurs ont eu tout juste le temps de sauter hors des véhicules. »

Un peu de drame semblait de mise! Ce message fut repris et commenté à satiété par un grand nombre de journaux et magazines.

Ce qui restait des vivres et de l'équipement fut empilé sur un radeau avec lequel on traversa plusieurs fois la rivière afin que les chevaux de bât puissent la franchir sans chargement. Pour faire bonne mesure, on se délesta aussi de l'enclume et de l'étau. Les cow-boys avaient bien tenté d'apprendre à Joséphine à monter à cheval, mais la femme de chambre espagnole détestait les chevaux et traversa la rivière Halfway sur une vielle haridelle appelée Laurie, les yeux fermés et la bouche grande ouverte, suivie des autres participants.

Après avoir franchi les eaux glaciales de la rivière Halfway, ils se remirent de leurs émotions grâce à un copieux déjeuner. Comme il n'était pas à un mensonge près, Bedaux annonça également par télégramme qu'une troisième autochenille avait été engloutie par le courant : « *La rivière Halfway, que nous tentions de traverser, a emporté un radeau fait de bois et de pontons en caoutchouc, sur lequel se trouvait une autre autochenille. Trois autres membres de l'expédition ont sauté juste à temps et sont revenus à la nage jusqu'à la rive.*

Peut-être que l'autochenille 4 et le radeau insubmersible flottent le long de la rivière Peace et se dirigent vers le fleuve Mackenzie et l'océan Arctique! »

Mais, la vérité était toute autre. Cette autochenille-là avait été placée sciemment sur un radeau construit par les cow-boys et fait de troncs d'arbres attachés par des cordes auxquels on avait ajouté des flotteurs en caoutchouc. Pour une touche théâtrale, on avait même brûlé un peu le véhicule. Bedaux espérait que le courant l'entraînerait directement vers une falaise dont les cavités avaient été bourrées de dynamite par plusieurs cow-boys de l'Expédition. L'idée était qu'en la heurtant, l'autochenille allait provoquer l'affaissement de l'escarpement dans la rivière, spectacle extraordinaire à filmer! Malheureusement, le courant ne l'emporta pas dans la bonne direction et les spectateurs virent le radeau s'éloigner, emportant le malencontreux véhicule qui échoua sur un banc de sable, à proximité d'un ranch et à des kilomètres de l'endroit prévu. L'effet dramatique était complètement raté! Charles écrivit toutefois la vérité dans son journal personnel : *« C'est un gros sacrifice auquel nous nous plions, Bruce et moi, en simulant*

L'Expédition Bedaux en bateau sur la Peace River, Alberta

l'abandon du radeau en catastrophe et en sautant dans l'eau. Stanley Clark se jette sur sa dynamite, il est prêt. Quelle émotion quand nous coupons le câble pour libérer le radeau... C'est une belle descente à travers les rapides, la Citroën ressemble à un jouet. Puis, elle approche du rocher, mon cœur s'emballe, c'est le bon moment pour l'impact, je donne le signal de l'explosion en tirant en l'air... Ça ne fonctionne pas!!! Clark a bien actionné à temps son détonateur mais rien ne s'est produit. J'ai le cœur dans les chaussettes... La voiture sur son radeau insubmersible s'éloigne. Je crois que ce radeau finira blanc comme un iceberg s'échouant au pays des Esquimaux. »

Les deux autres autochenilles furent simplement abandonnées sur les rives de la rivière Halfway et furent découvertes quelque temps plus tard par le propriétaire de garage, Bert Bowes, qui en remorqua une à Fort St. John et l'utilisa jusque dans les années 1950. Les pièces détachées de l'autre servirent pour diverses réparations. L'autochenille du garagiste fut plus tard acquise par le « Western Development Museum » de Moose Jaw, en Saskatchewan, où elle fut restaurée, suivant les directives et conseils que Balourdet envoya de France.

Dans le télégramme qui suivit, Bedaux annonça que, malgré toutes les difficultés rencontrées et les dangers terribles auxquels les participants avaient échappé de justesse, l'Expédition continuerait à cheval jusqu'à Telegraph Creek et de là, jusqu'aux abords de l'océan Pacifique. Dans une lettre, il indiquait aussi : *« Nous sommes maintenant au point où commence le passage à travers les Rocheuses. Lamarque a fait des choses incroyables.*

Il est monté jusqu'à la source de la rivière Muskwa, à l'endroit où je pensais qu'il y avait un passage vers le Pacifique en descendant de Whitewater et du col Sifton pour revenir ensuite à la Muskwa. Maintenant, nous pouvons être sûrs d'un passage vers Telegraph Creek. ...Jack Bocock vient de revenir après avoir vu Geake et ce dernier a été en contact avec Lamarque... Nous devons nous hâter car nous sommes en retard d'un mois à cause des pluies et un mois représente un laps de temps important vu ces terribles étés si courts... »

Le 14 août, plusieurs cow-boys dont les services n'étaient plus requis reprirent la route dans la direction de Fort St. John. Ils emmenaient avec eux le chien Buster dont Charles était heureux de se débarrasser.

Désormais, le succès de l'Expédition dépendait entièrement des chevaux. La piste préparée par Lamarque et son équipe permit de progresser dans la direction anticipée.

Les membres de l'Expédition atteignirent finalement Horseshoe Creek où ils montèrent le camp. Exténués, mais remontés moralement par le charisme et les encouragements de Bedaux accompagnés de maintes rasades de vin, de whisky et de rhum, ils décidèrent à l'unanimité de persévérer dans leur entreprise pour atteindre, comme prévu, les bords de l'océan Pacifique. Charles nota : *« Nous sommes toujours déterminés à atteindre Telegraph Creek cet automne. Si nous y arrivons, ce sera essentiellement grâce aux hommes et aux trois femmes de l'équipe, prêts, quoi qu'il arrive, aux pires sacrifices pour atteindre notre but. »*

Bedaux rendait, non seulement hommage à la bravoure des participants à l'Expédition, mais surtout au stoïcisme de Fern et de Bilonha.

*
* *

CHAPITRE 10

FERN BEDAUX

Fern Lombard avait 28 ans lorsque Bedaux l'épousa. Comme lui, elle appréciait non seulement les avantages que leur procurait leur fortune, mais aussi l'ascension sur l'échelle sociale qui en découlait. Grâce à son bon goût, elle fut toujours l'une des femmes les mieux habillées de son époque.

L'*Edmonton Journal* décrivit Fern en ces termes : « *Grande, mince, très soignée de sa personne et très bien faite, il est difficile de croire que cette femme de la haute société, habituée à tous les luxes de la vie des riches, puisse être sincèrement joyeuse à la perspective de passer plusieurs mois dans des régions aussi sauvages... Assise sur l'une de ses nombreuses malles, attendant que les autorités douanières terminent l'inventaire de ses bagages et l'examen de son passeport, car elle arrive d'Europe* (via New York et Montréal) *pour aider aux derniers préparatifs du voyage, elle nous a expliqué le plaisir de pareille aventure de manière très convaincante.* »

Fern était adepte de l'église de la Science chrétienne et y resta fidèle toute sa vie. Fondée par Mary Baker Eddy en 1878, la Science chrétienne est un mouvement religieux qui rejette tout traitement médical et insiste sur la guérison par la foi seulement. Fern tenta bien de convertir Charles, de l'empêcher de prendre des médicaments, ou même de consulter un médecin, mais n'y réussit jamais. Il respectait toutefois ses croyances. Lors de leurs séjours dans les grandes villes des États-Unis ou d'Europe, s'il ne pouvait pas l'accompagner aux services de l'église de la Science Chrétienne, Bedaux s'isolait pour communier en esprit avec son épouse.

Au début du périple, les membres canadiens de l'Expédition Bedaux, n'ayant pas l'habitude de côtoyer des femmes du monde, éprouvèrent un peu d'embarras et de méfiance envers Fern et Bilonha. Toutefois, ils perdirent vite leur réserve et leurs préjugés. Les deux femmes faisaient preuve de sang-froid et de patience. Elles ne se plaignaient jamais à haute voix de la pluie ou des moustiques. La seule exigence de Fern fut la musique. Dans une lettre à Jack Bocock, Bedaux souligna : « *N'oubliez pas que ma femme insiste pour entendre des chansons de cow-boys. Evan Withrow* (l'un des cuisiniers) *devra porter des tenues de cow-boys typiques et un grand chapeau quand il chantera pour le film.* » Les cow-boys s'exécutèrent avec plaisir lors des soirées sous la tente, si l'on en croit les photographies.

Tout en se montrant parfaitement courtoises, Fern et Bilonha n'en gardèrent pas moins leurs distances vis-à-vis des cow-boys. Cecil Pickell écrivit dans ses mémoires que madame Bedaux était une femme courageuse, souvent réprimandée par son mari pour des actions qu'il qualifiait de « *dangereuses* », comme sauter un ruisseau à cheval. Pickell pensait que Charles était bien trop protecteur envers son épouse. Il trouva aussi que Bilonha se montrait plus formelle que Fern.

Habituées à dormir tard et à se faire servir, les deux amies attendaient que Joséphine leur apporte leur petit déjeuner au lit, avant de se lever et de s'habiller pour prendre la route. Leur toilette prenait tellement de temps que Bedaux résolut le problème en partant sans les attendre, laissant un homme ou deux au camp pour s'occuper des bagages de ces dames. Fern et Bilonha mettaient beaucoup plus d'accent sur leur bien-être et les vêtements à porter quotidiennement que sur la vitesse du déroulement de l'Expédition.

Grande et belle, Bilonha avait des traits réguliers et des reflets roux dans les cheveux. Elle était considérée comme l'une des femmes les plus élégantes de la haute société parisienne et new-yorkaise, souvent mentionnée dans les pages du magazine *Vogue*. Son père, le comte Gauthier Vignal, était le premier homme à avoir franchi les Alpes à bord d'un engin motorisé, en 1896. Elle avait épousé l'industriel italien, Alberto Chiesa, ancien champion de ski et joueur de tennis de renom, qui eût dû faire partie de l'Expédition en tant que cinéaste à la place de Floyd Crosbie, si un accident de ski ne l'eût empêché de s'y joindre au dernier moment. Son mari étant particulièrement renommé pour ses nombreuses infidélités conjugales, elle lui rendait la pareille et sans grande discrétion.

Charles et Fern présentèrent toujours l'image d'un couple uni. Pourtant, une dimension différente existait au sein même de ce ménage. Charles était un véritable charmeur, donnant aux femmes l'impression que leur rencontre était la révélation de sa vie. Il avait de nombreuses maîtresses et ne s'en cachait nullement. D'ailleurs, bon nombre d'entre elles firent partie de différentes expéditions et voyages à travers le monde. Il se flattait de sa réputation d'homme à femmes et avait des liaisons avec un grand éventail de la gente féminine, allant de la femme du monde à l'employée de maison. Fern semblait en avoir pris son parti, ou était extrêmement tolérante, car certaines des amantes de Bedaux furent même logées au château de Candé. Ces dernières se montraient toujours déférentes envers l'épouse légitime qui assumait vis-à-vis d'elles une attitude protectrice. Fern, non seulement, se liait d'amitié avec les conquêtes successives de son mari, mais la maîtresse en titre du moment et elle-même se témoignaient toujours réciproquement et ouvertement beaucoup d'affection.

Deux autres éléments étonnaient dans ce ménage. D'abord, toutes les maîtresses ressemblaient physiquement à Fern. Ensuite, elles s'habillaient comme elle, copiant son style et son élégance. On ne peut qu'être surpris que Fern et Bilonha aient posé ensemble, vêtues de façon similaire, dans une suite qu'elles se partageaient à l'hôtel MacDonald d'Edmonton. Cela montrait une grande largeur d'esprit de la part de Fern ou un grand intérêt personnel pour l'amie commune du couple...

Au cours de « *L'Expédition canadienne subarctique Bedaux* », Bilonha, qui avait été mentionnée dans la presse comme chasseuse de gros gibier *(sic)* n'utilisa jamais son fusil, préférant nettement à la chasse ses longs conciliabules avec Fern.

Les années 1920 et 1930 virent l'apparition des *swingers*. Les couples restaient ensemble, mais la bisexualité féminine était à la mode et acceptable dans la mesure où l'on faisait preuve de discrétion.

La maîtresse d'un mari se joignant à une expédition à laquelle participait également l'épouse représentait un alibi parfait pour un ménage à trois. Qui eût soupçonné une personne aussi dévote que Fern? Mais parfois, les apparences sont trompeuses...

Madame Charles Bedaux et Mademoiselle Alberta Chiesa, Expédition Bedaux, 1934.

À Edmonton, avant le départ des membres de l'Expédition, un journaliste demanda candidement à Bilonha les raisons pour lesquelles elle accompagnait les Bedaux. Fern et elle se regardèrent avec malice et Fern rétorqua avec un grand sourire : « *Elle vient parce qu'elle nous aime et que nous l'aimons. Elle partage nos goûts pour la nature et les sports. Nos intérêts convergent!* ».La réponse était des plus claires, mais le reporter, plutôt naïf, n'en saisit pas le sens!

Fern et Bilonha eurent toutes deux l'intention de tenir leur journal de bord au cours de l'Expédition. Malheureusement, celui de Bilonha disparut et celui de Fern resta incomplet. Se lassa-t-elle de le tenir? Dans son journal, Fern, mentionnant Bilonha, l'appelle toujours Bilou, comme le faisait aussi affectueusement Charles. Toutefois, les pages couvertes de l'écriture de l'épouse de Bedaux permettent d'apprendre qu'elle-même ne se morfondait guère seule sous sa tente quand Charles passait la nuit avec sa maîtresse. Fern nota : « *Athabasca. Je fais la connaissance à table d'un personnage rude, vulgaire, imbu de lui-même, choquant et ivre. Il est encore plus choquant au lit...!* »

Ce ménage à trois devait être des plus cocasses au sein de l'Expédition qui se déroulait dans le nord-ouest du Canada! À part Fern et Charles, aucun membre de l'Expédition ne se permit jamais d'écrire dans ses mémoires ou son journal quoi que ce fût à ce sujet. On peut toutefois penser que les langues allèrent bon train parmi les autres membres... Restèrent-ils muets, parce que totalement indifférents à ce qui se passait sous leurs yeux, et qui était pourtant évident, ou avaient-ils peur de perdre leur emploi en cette période de dépression économique?

Néanmoins, Fern resta à jamais l'amour de la vie de Bedaux. Rien ne fut jamais trop beau pour elle. Il lui offrait tout ce qu'elle pouvait désirer et s'empressa constamment de répondre à ses désirs et réaliser ses rêves les plus onéreux. Le seul défaut qu'il lui ait trouvé fut l'avarice qu'elle développa en vieillissant. Elle faisait de si grandes réserves de papier hygiénique et de mouchoirs en papier au château de Candé que Charles la rebaptisa en plaisantant « *l'écureuil* ».

Au cours de « *L'Expédition canadienne subarctique Bedaux* », ne valait-il pas mieux prétendre que Bilonha était uniquement l'amante de Charles, provoquant ainsi l'envie des hommes? Fern acceptait fort bien les incartades de son mari puisqu'elle y trouvait aussi parfaitement son compte.

*
* *

CHAPITRE 11

À PIED ET À CHEVAL

Dès le début de l'Expédition, les membres s'entendirent tous très bien et aucune discorde ne survînt jamais. Leurs rôles changèrent au cours du voyage et ils n'exercèrent pas toujours les emplois pour lesquels ils avaient été recrutés. Personne ne s'en plaignit. Ils participèrent tous avec entrain aux diverses corvées d'eau, de bois et de vaisselle. Devenus grands amis, John Chisholm, surnommé « *Big John* » par les cow-boys, à cause de sa haute taille (il mesurait 1,92 m) et l'ingénieur Clovis Balourdet, que Bedaux avait qualifié de « *trésor* » dans l'une de ses lettres à André Citroën, se partagèrent même les faveurs de Joséphine. Cette dernière avait été mariée quelque temps à un soldat britannique qui avait mystérieusement disparu. Nul ne savait ce qu'il en était advenu.

Tout le monde s'accordait pour trouver John Chisholm très sympathique, bien que beaucoup de cow-boys ne comprirent pas pourquoi il tenait plus à marcher qu'à monter à cheval.

Charles et Fern Bedaux avec des compagnons de voyage

Balourdet était très apprécié des autres participants. Il se révéla excellent chasseur. Par contre, pêcheur impatient, il n'hésitait pas à jeter une charge de dynamite dans une rivière afin d'attraper des poissons pour le dîner. Après tout, n'avait-il pas été spécialiste de cet explosif au cours de la Première Guerre mondiale? Comme il en utilisa une trop grande quantité, on le hua lorsque des gerbes d'eau et de gravier, ainsi que des poissons en morceaux, jaillirent du cours d'eau.

Joséphine amusait beaucoup les cow-boys. Un jour, ayant grimpé une colline pour y laver du linge dans une bassine, elle glissa et déboula jusqu'au milieu de la tente réservée à la cuisine. Elle se releva en riant et annonça : « *Si je ne perds pas un peu de poids, je voyagerai en roulant!* » Les hommes l'applaudirent à tout rompre.

Avec Bedaux en charge, la vie quotidienne du camp ne manquait pas de piquant. Outre le tournage des autochenilles tombant dans la rivière, Charles organisa la mise en scène d'un feu ravageant le camp à insérer dans le long métrage. Ce jour-là, dans son journal, un cow-boy du nom de Willard M. Freer écrivit : « *Nous travaillons tous pour le film. Nous sommes tous devenus des vedettes de cinéma!* »

Suivant les directives de Bedaux, 70 chevaux, qui devaient être relâchés à un moment précis, se retrouvèrent enfermés dans un corral. Des lampes à magnésium furent placées aux endroits stratégiques et on alluma un grand feu au pied d'un arbre pour prétendre à un incendie de forêt. Le scénario voulait qu'au coup de revolver tiré par Charles, suivi des hurlements poussés par Joséphine, les membres de l'Expédition sortissent en courant de leur tente respective, hurlant de frayeur et suivis des chevaux au grand galop. Terrorisés par les coups de feu et les cris, les animaux piaffèrent, ruèrent et partirent tous dans la mauvaise direction, au milieu des rires des participants. On passa plusieurs heures à les rattraper dans les forêts et les tourbières.

Tout au cours de l'Expédition, Charles ne manqua jamais d'offrir chaque soir aux cow-boys du whisky, des cigarettes et des cigares. Ernest Lamarque observa dans son journal que les camps étaient toujours bien organisés, que tous les participants étaient en bonne santé et très bien nourris et que lui-même avait goûté au foie gras pour la première et dernière fois de sa vie, car il détestait cela. Lamarque n'était pas gastronome!

Cecil Pickell a laissé des souvenirs de la vie quotidienne du camp : « *...Nous étions retournés au Caribou Range avant de rejoindre les principaux membres de l'expédition. Dès notre arrivée, on me désigna comme guide personnel de Bedaux. Je devais également aider à la cuisine le matin, puis je sellais les chevaux des "Citadins". Je les appelais "Citadins", car je n'avais pas trouvé de meilleur qualificatif pour ces gens, comme madame Bedaux, madame Chiesa, John Chisholm, Balourdet le mécanicien français, et Joséphine la femme de chambre. Je plaçais leur déjeuner dans des paniers transportés par les chevaux de bât dont j'avais la charge.*

Vers midi, sur la piste, les autres cow-boys et moi-même trouvions un endroit agréable pour y servir le déjeuner. Dans la soirée, dès qu'on avait atteint le prochain camp, j'allumais

*le feu et leur préparais du café. Les tentes des "Citadins"
étaient montées en premier et leurs lits faits aussitôt, pour
qu'ils puissent s'y reposer dès leur arrivée. Ensuite, j'aidais le
cuisinier à préparer leur dîner.*

*S'il faisait froid ou pleuvait, ou si la journée avait été dure,
Bedaux ne manquait jamais de nous servir de bonnes rations de
rhum, et quel bon rhum c'était! Joséphine distribuait les tasses.
Bedaux versait d'abord à chaque cow-boy une bonne quantité
de rhum bien épais. Puis, armé d'un pichet, il ajoutait l'eau
chaude, bien sucrée. Quand j'y repense, l'eau m'en vient à la
bouche. Je n'ai jamais retrouvé un si bon rhum! »*

La bonne organisation des camps et l'amabilité des Bedaux
et de Bilonha aidaient donc à maintenir le moral des participants
malgré la pluie et le mauvais temps. Après la traversée de
Horseshoe Creek, les membres de l'Expédition s'engagèrent
dans les montagnes Rocheuses, puis continuèrent vers le Nord et
traversèrent les rivières Sikanni Chief et Prophet. Ils atteignirent
enfin la rivière Muskwa le 2 septembre et rejoignirent le groupe
des hommes partis en éclaireurs sous la direction de Nick Geake.

Pour les cow-boys qui travaillaient sous ses ordres, Nick
était vraiment un personnage et il ne cessait de les étonner. Dès
son lever, il se mettait nu comme un vers et éponge en main, il
se lavait de la tête aux pieds dans une crique, une rivière, un lac
ou un ruisseau. Il faisait ainsi ses ablutions par tous les temps,
même si l'eau était recouverte d'une couche de glace.

Alors qu'il coupait des branches à la hache, son chien qu'il adorait s'approcha trop près de lui et fut grièvement blessé. Au bord des larmes, Geake dut l'achever d'un coup de revolver. Il demanda ensuite à ses compagnons d'enterrer l'animal, vu qu'il ne pouvait s'y résoudre, ayant le cœur trop tendre. D'après une lettre de Bedaux, Geake eut aussi un accident dans la rivière Muskwa et se retrouva avec une jambe et un genou contusionnés. Les eaux étaient montées subitement de plusieurs mètres. Tentant de sauver ses chevaux, Nick resta près de quatre heures dans l'eau glacée et se noya presque lorsqu'un des animaux le piétina pour regagner la terre ferme. Un seul cheval périt.

Les deux groupes de l'Expédition s'étant rejoints, continuèrent la route ensemble. Trois jours plus tard, ils arrivèrent sur les bords d'un très joli lac, entouré de montagnes, que Swannell

Les membres de l'Expédition pour une photo-souvenir

baptisa du nom de *lac Fern*. Le plus haut pic reçut le nom de *mont Bedaux*. L'une des montagnes se vit attribuer le prénom de Joséphine. Swannell distribua d'autres noms aux montagnes et criques environnantes. « *Cette région est un site digne des dieux* » commenta Charles, comme il posait pour des photos-souvenirs avec les trois femmes de l'Expédition. Ils restèrent deux jours dans les parages, à se reposer. Le 5 septembre, John Chisholm tua trois grizzlis en quelques heures. Ce record lui valut compliments et considération de la part de tous les cow-boys et de Bedaux lui-même.

Ils traversèrent la rivière Kwadacha et s'arrêtèrent au-dessus du lac Chesterfield. La nourriture commençait à manquer. Pour alléger le transport des provisions, mais surtout pour réconforter les hommes, Charles décida d'ouvrir la douzaine de bouteilles de champagne Munn extra-sec, gardées en réserve pour célébrer leur arrivée au col Sifton. En fait, il ne restait que neuf bouteilles, car trois d'entre elles s'étaient brisées en route. Le soir, Bedaux réunit tous les hommes, les fit asseoir en cercle, fit un discours et versa le champagne dans des flûtes en cristal pour les membres principaux et dans des tasses pour les autres. On trinqua au succès de l'Expédition. Fern, Bilonha et Joséphine burent un premier verre, puis vidèrent ensuite le contenu de leurs flûtes dans les tasses des cow-boys. L'atmosphère devint fort joyeuse. Les cow-boys se mirent à chanter. Fern rédigea dans son journal : « *Ces cow-boys sont tous tellement gentils. Je n'arrive pas à croire que la majorité d'entre eux buvait du champagne pour la première fois de leur vie!!!* »

Ils eurent entièrement raison de boire le champagne à ce moment-là, car de graves problèmes surgirent. Comme ils arrivaient à Whitewater, il se mit à neiger très fort et la température baissa brusquement. Le retard d'un mois pris sur l'itinéraire prévu et le mauvais temps inquiétaient les cow-boys qui songeaient à la brièveté des étés dans cette contrée. Charles nota : « *Nous sommes arrivés le 13 septembre après une excitante traversée des Rocheuses par un passage que nous avons découvert. Ce tour de force a mis à l'épreuve les forces humaines et animales au-delà de leurs capacités... Il nous reste encore 55 kilomètres à parcourir dans une région totalement inconnue et nos chevaux sont exténués et à l'extrême limite de leurs forces. Nous en avons déjà perdu un certain nombre, bien que nous ayons réduit de moitié notre convoi. Il se peut que nous finissions à pied. Nous venons de traverser notre première tempête de neige.* »

Les chevaux étaient en difficulté. Non seulement, ne trouvaient-ils plus assez à manger, mais la plupart d'entre eux souffraient d'infection à fusobactérium. Cette maladie, hautement contagieuse, atteignait l'intérieur de leurs sabots où la corne devenait humide et noire. Une substance nauséabonde, ressemblant à du goudron, s'en écoulait. Les animaux souffraient et boitaient. Certains d'entre eux tombaient en chemin. Chaque matin, les cow-boys devaient en abattre en moyenne cinq à la carabine. C'était une véritable hécatombe. Tout le monde se trouvait fortement affecté par la situation, mais Floyd Crosby en fut plus éprouvé que les autres. Fern remarqua que dès qu'un cheval mourait ou devait être abattu, le cinéaste tombait en dépression profonde et devenait franchement insupportable. Secrètement, les cow-boys commencèrent à se débarrasser des boîtes de conserves, vu qu'il y avait de moins en moins de chevaux pour transporter les provisions et l'équipement.

Lamarque était parti en éclaireur jusqu'à Telegraph Creek d'où il devait envoyer un message à Bedaux, lui indiquant la meilleure voie à suivre. Aucun message ne lui parvenant, Charles décida malgré tout de continuer. La neige tombait toujours, les chevaux avaient de moins en moins à manger et s'écroulaient sur la piste. La situation était des plus sérieuses.

Dès le 11 septembre, grâce aux diverses informations envoyées par Bedaux lui-même, les journaux avaient déjà souligné les dangers qui guettaient l'Expédition. Après avoir exploité le filon des accidents des autochenilles, Charles toucha deux autres cordes sensibles, celle du courage des participants et celle de leur sécurité. Les journaux imprimèrent que malgré le mauvais temps, la neige qui tombait, la glace qui se formait, les chevaux qui mouraient, les participants à l'Expédition allaient coûte que coûte tenter d'atteindre Telegraph Creek. On écrivit même que la police s'inquiétait à l'idée que les membres de l'Expédition traversent le col Sifton, sans doute couvert de neige et de glace en cette période de l'année, et donc très dangereux. Bedaux voulait préserver à tout prix son image d'explorateur téméraire que rien n'arrêtait. Il savait exactement comment doser les nouvelles qu'il distillait avec à propos.

À Whitewater, ils rencontrèrent un vieux chef indien, David Braconnier, âgé de 85 ans, et dont les traits du visage rappelaient ceux d'une tête d'aigle. De père francophone, il put bavarder en français avec Bedaux et Balourdet, bien qu'il assurât plusieurs fois à ses interlocuteurs : « *J'oublie toutes mes paroles.* » Bedaux et le chef indien eurent de grandes conversations portant aussi bien sur l'économie et la politique internationales que sur le bien-être de la tribu. Le chef avait une fille de douze ans à marier et proposa à Charles qu'un de ses hommes l'épousât. Après le décès de David, l'heureux élu serait chef à son tour. Le choix de Braconnier se porta sur Cecil Pickell. Ne voulant pas blesser le vieil Autochtone, Bedaux et Cecil prétendirent que ce dernier était déjà fiancé.

Dans son journal, à la date du 16 septembre, Charles expliqua : « *Le convoi de dix hommes qui dégage tout ce qui se trouve sur*

Des' membres de l'équipe et leur monture bravent le froid

notre piste est dirigé par J. Bocock. Ils ne sont qu'à deux jours de route devant nous et espèrent dégager ainsi une moyenne de 13 km par jour. Nous devrions arriver à Telegraph Creek (si tout va bien et si les chevaux tiennent le coup) aux alentours du 22 octobre. »

Mais le contenu de la lettre suivante était très optimiste par rapport à ce qui se passait réellement : « *Je travaille actuellement à la répartition du chargement des vivres sur des chevaux déjà trop faibles pour porter le chargement qu'ils avaient en arrivant à ce poste. Ces vivres sont essentiels pour les 45 jours à venir et cela signifie que nous devons sacrifier beaucoup de notre confort et abandonner derrière nous des équipements de toutes sortes, et que nous serons à court de vêtements. Nous serons aussi en-dessous des normes de sécurité minimales, mais il faut le faire.*

Nous sommes passés à travers eau et feu, les deux furent un enfer. Maintenant, nous allons rencontrer la neige. La première tempête de neige nous a surpris le 14 septembre et a duré toute la journée. Chacun de nous est déterminé à continuer. Les prochains mots de moi qui vous parviendront seront, je l'espère, contenus dans un télégramme expédié de Telegraph Creek. »

Le 28 septembre, ils se trouvaient toujours sur la piste à proximité du col Sifton lorsque, inquiet de la tournure des événements, Bedaux donna finalement l'ordre de retourner à Whitewater. Ils étaient alors à 320 kilomètres de Telegraph Creek, qu'ils avaient voulu atteindre à tout prix. Fern et Bilonha se montrèrent désolées de la situation et versèrent quelques larmes. Mais elles furent toutefois aussi soulagées que les cow-boys et autres membres de l'Expédition d'avoir à faire demi-tour. Charles resta optimiste. Ce n'était qu'un contretemps : « *Nous avons dû rebrousser chemin et faire à toute vitesse dans la neige une retraite dont la discipline nous fit honneur et qui aurait rendu Napoléon envieux.* » Bedaux aimait, non seulement les effets de style, mais aussi la grandiloquence, car il ajouta : « *...huit jours plus tard, nous frisions la mort, Fern, madame Chiesa et moi, dans le Deserters' Canyon.* »

Lamarque les rejoignit à Fox Pass, près de Whitewater. Il avait bien envoyé un télégramme de Telegraph Creek, qui bien que passé par Vancouver, n'avait pas été transmis à Bedaux.

De gauche à droite : John Chisholm, Clovis Balourdet et Jack Bocock, trois membres de l'Expédition Bedaux, 1934

En arrivant au camp, Lamarque tomba au beau milieu d'une incroyable scène de tournage, dirigée par Bedaux lui-même et filmée par Floyd Crosby. Le spectacle était hallucinant et hilarant. Couverts de boue des pieds à la tête et gigotant dans tous les sens, les cow-boys rampaient à qui mieux mieux sur le sol détrempé.

Ils invitèrent Lamarque à se joindre à eux, mais il déclina poliment, se disant trop fatigué. Le lendemain matin, pour l'aider à se remettre de ses émotions, on lui apporta gentiment son café au lit avant le départ. Puis, le voyage du retour commença.

*
* *

CHAPITRE 12

SUR LE CHEMIN DU RETOUR

Pendant neuf jours, ils se frayèrent tant bien que mal un passage dans la neige. Quand ils atteignirent finalement la rivière Finlay, ils trouvèrent six bateaux à moteur qui les attendaient et dont Charles avait déjà mentionné l'existence dans une lettre : « *Des canots, qu'avec ma prudence habituelle, j'avais fait apporter pendant l'été.* »

Bedaux tenait beaucoup à immortaliser sur pellicule la fin de son périple. Il choisit donc un rétrécissement du canyon et donna ses ordres : « *L'un des bateaux partira en premier avec l'équipe de tournage à bord et ralentira afin que les autres bateaux se touchent. Coupez les moteurs des bateaux dès que vous atteignez les premiers rapides afin que l'on puisse prendre en gros plans ceux qui passeront rapidement à proximité.* » Fort inquiet, l'un des cow-boys rétorqua vivement : « *La seule façon de traverser ce canyon est de faire passer les bateaux un par un. S'ils se suivent de trop près, et que l'un d'eux ait des problèmes, il y aura un carambolage des plus sérieux sur l'eau. Je ne voudrais*

pas en être responsable! » Charles répondit emphatiquement :
« *Moi, j'en assume toute la responsabilité!* »

Les moteurs ronflèrent. Assis dans leurs bateaux respectifs et persuadés que leur dernière heure était arrivée, les membres de l'Expédition attendirent le signal de départ avec grande anxiété. Puis, Floyd Crosby, debout dans le premier canot, livide de peur et essayant de ne pas trop trembler, commença à filmer. L'eau jaillit de partout, inondant les passagers. Emportés par le courant, les bateaux passèrent l'un derrière l'autre, se touchant dangereusement devant le caméraman pétrifié. Par chance, il n'y eut ni noyade, ni accident.

Dix-huit ans plus tard, Crosby fut le caméraman du film « *High noon* » avec les acteurs Gary Cooper et Grace Kelly. Nul doute que ce western lui fût plus facile à filmer que le scénario imaginé par Bedaux dans le canyon de la rivière Finley!

Quand ils atteignirent les rapides Que Ne Parle Pas, la température devint plus clémente. Ils en profitèrent pour inspecter et admirer les empreintes laissées par les dinosaures sur les bords de la rivière Ottertail, des siècles auparavant. Après cet interlude, ils repartirent en bateau. Ce voyage par voie d'eau prit 13 jours. Dans le canyon Rocky Mountain, les cow-boys déchargèrent les bateaux. Le transport du matériel jusqu'à Hudson's Hope fut difficile, long et pénible, et demanda près de 18 heures d'efforts.

Les membres les plus importants de l'Expédition s'installèrent dans l'unique hôtel de l'endroit. Comme toujours, les journaux publièrent fidèlement ce que Charles leur télégraphia, à savoir que l'Expédition Bedaux venait d'arriver à Hudson's Hope après une incursion de quatre mois dans les montagnes, séjour inoubliable, jalonné de témoignages d'héroïsme.

Avant de s'embarquer pour Taylor, Charles organisa un grand banquet dans l'hôtel pour remercier ses employés et les gens locaux. On but beaucoup. Joséphine dansa tour à tour avec Chisholm et Balourdet. Bedaux distribua généreusement tout l'équipement de l'Expédition, donnant aux cow-boys, fusils, selles, brides, lits, tentes, caméras, jumelles, oreillers, couvertures, moustiquaires, poêles à bois, vaisselle et batterie de cuisine.

Le «chic» hôtel Hudson Hope où l'équipe se ressourça

Le lendemain, on mit cinq heures pour joindre Taylor. Il faisait froid et humide. Après des adieux émotifs aux cow-boys qui retournaient à Fort St. John, les membres de l'Expédition se rendirent jusqu'à la petite ville de Pouce Coupé où ils arrivèrent exténués. La boue était toujours aussi collante. La température baissait et devenait glaciale. Des vents violents soufflaient. Il neigeait de plus en plus fort. Pour le reste du voyage de retour, ils s'entassèrent dans trois camions et deux autos, et prirent ensuite le train jusqu'à Edmonton. Fern et Bilonha étaient très fatiguées et à bout de nerfs. Joséphine portait encore des traces de piqûres de moustique qui s'étaient infectées. Les hommes étaient tous très sales. Pour résumer la fin de l'Expédition, Bedaux déclara : « *Les ingénieurs qui ont conçu nos autochenilles ignoraient ce qu'était la boue gluante ou "gumbo", et la maladie des chevaux a fait le reste!* »

Les journaux continuèrent à publier des articles soulignant les difficultés rencontrées sur les pistes, le courage et la témérité de Charles qui avait dépensé plus de 250 000 dollars pour cette entreprise ratée. Ils imprimèrent toutes ses observations personnelles quant au nord-ouest du Canada. On répéta à satiété l'opinion de Bedaux, indiquant que le nord de la Colombie-Britannique avait grand besoin d'être topographié et cartographié.

Un dernier article parut. Il était mystérieux, car on y écrivait que les vraies raisons de l'Expédition n'avaient pas encore été dévoilées. On y laissait aussi entendre lourdement que le but était autre qu'un voyage d'agrément. Cet article bizarre mit fin aux reportages basés sur les informations habilement diffusées par Charles.

Bedaux fit parvenir un rapport détaillé de son expédition à « La Commission internationale des routes » de l'époque. Il déclara à qui voulait l'entendre que « *Ce voyage a été unique!... J'en rapporte 30 000 pieds de pellicule de film qui seront considérés comme uniques et fascinants.* »

Le *Toronto Star Weekly* imprima : « *Bedaux ne reconnaît la défaite à aucun moment. Il revient ravi de son expédition, le courage intact, et bien décidé à recommencer.* »

Evan Withrow résuma, à sa façon, l'opinion des participants à l'Expédition : « *Cela a été pour nous une expérience passionnante. Bedaux, amateur de grandes aventures, gardait ses distances et conservait toujours sa dignité et son autorité quand les autochenilles s'embourbaient dans les endroits les plus dangereux, et même quand les chevaux boitaient sur leurs sabots pourrissants.*

Si monsieur Bedaux projetait une autre expédition demain ou le mois prochain, je me ferais une joie de le suivre... Ce voyage a représenté une lutte continuelle contre la pluie, la boue et la malchance. Ce n'étaient ni l'imagination de M. Bedaux, ni la manière dont l'expédition avait été organisée ou même encore l'idée de se servir des autochenilles pour vaincre la nature sauvage qui furent responsables de cet échec, mais simplement les conditions climatiques exceptionnellement défavorables. »

L'Italie annonça subitement qu'elle interdisait désormais l'application du système Bedaux à l'intérieur du pays. Dès qu'il apprit la nouvelle, Charles quitta précipitamment le Canada pour retourner en Europe. Il promit toutefois d'y revenir sous peu.

*
* *

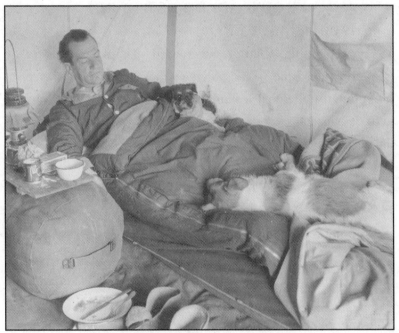

Charles Bedaux dans sa tente avec ses chiens

CHAPITRE 13

CE QU'IL ADVINT DE BEDAUX

En Italie, Charles ne réussit pas à convaincre le gouvernement que son système était juste et efficace et n'exploitait nullement les employés. Furieux de ne pas obtenir gain de cause et pour se changer les idées, il décida de voyager de par le monde.

Dans les années à venir, Fern et lui visitèrent l'Iran et les Indes, puis le Tibet, traversèrent l'Himalaya à cheval, puis explorèrent l'Afghanistan, la Chine et le Japon. On s'essouffle à les suivre autour de la planète! Aucun de ces voyages ne reçut la publicité encourue par « *L'Expédition canadienne subarctique Bedaux* ». Du Japon, Fern et Bedaux s'embarquèrent pour Victoria en Colombie-Britannique où leurs amis, Herman et Katherine Rogers, les rejoignirent. Laissant les dames se reposer à Victoria, Charles et Herman se rendirent à nouveau dans la région des Monts Cassiar, à Telegraph Creek, comme il l'avait promis, et dans le Yukon. Cette fois, Bedaux déclara vouloir construire une première route d'Edmonton jusqu'à l'océan Pacifique, puis une seconde qui relierait Telegraph Creek jusqu'au Yukon. Il réengagea trois de ses employés qui avaient participé l'année précédente à l'Expédition. Bob Beattie dont les services remontaient à l'expédition de chasse de 1932, Art MacDougall qui avait joué le rôle d'éclaireur, et Bob White, celui de bûcheron, construisirent près d'Hazelton un édifice supposé servir de quartier général à la prochaine expédition. Ils planifièrent également son déroulement et engagèrent même d'autres hommes pour cette future expédition prévue pour 1937, qui allait permettre de construire les fameuses routes. Toutefois, cela resta à jamais à l'état de projet.

Après un séjour en Californie, Charles et Fern s'embarquèrent pour l'Europe et se rendirent en Russie où Charles avait été officiellement invité par le gouvernement soviétique. Il s'intéressait alors beaucoup au stakhanovisme, méthode appliquée en U.R.S.S, s'appuyant sur des records de rendements industriels et découlant d'une nouvelle conception du travail, découverte par Alexei Stakhanov. Ce dernier était parvenu à extraire 102 tonnes de charbon en un peu moins de 6 heures, multipliant son rendement personnel par 15, chiffre énorme. Mais plus tard, on se rendit compte qu'à cette époque, les mineurs, peu motivés, travaillaient fort lentement! Sachant que les ouvriers et les syndicats d'autres pays se rebellaient déjà contre les systèmes Taylor, Emerson et Bedaux, les autorités soviétiques présentaient le stakhanovisme comme une méthode créée par le prolétariat même et soutenue par Staline. L'Union soviétique connaissait alors de graves problèmes de production industrielle et comptait sur le stakhanovisme pour y remédier.

Charles fut accueilli en grandes pompes en U.R.S.S. On le combla de présents et de nombreuses réceptions furent données en son honneur. Il visita usines et manufactures modèles. En peu de temps, il se rendit compte de l'hypocrisie qui régnait dans le pays. Les ouvriers travaillaient pour des salaires de misère et dans des conditions épouvantables. Les camps de travail étaient une abomination. La corruption touchait tous les niveaux du gouvernement soviétique. Bedaux n'hésita pas à exprimer froidement son opinion, à l'horreur de ses hôtes qui ne s'attendaient nullement à ce qu'il réfutât toutes leurs théories. Fatigué de se justifier et ne voyant pas d'autres moyens pour échapper à ceux qui les avaient invités, lui et sa femme, Charles sema les agents de la police secrète chargés de les surveiller à Moscou, traversa la Volga en bateau et se réfugia à l'ambassade des États-Unis où il

Charles Bedaux, sa femme Fern et madame Bilonha Chiesa avec la famille Beattie à Peace River en Alberta

expliqua ses problèmes. Pour lui venir en aide, un diplomate alla secrètement chercher Fern dans sa chambre d'hôtel, puis conduisit les Bedaux, cachés sur le plancher d'une automobile, jusqu'à Varsovie. Leur séjour en Union soviétique se termina donc en queue de poisson! Par la suite, L'U.R.S.S. nia avoir jamais invité Bedaux. Ce dernier rédigea un long rapport sur ce qu'il avait vu du stakhanovisme lors de son périple en Union soviétique et en envoya une copie à plus de mille sociétés, ainsi qu'à un grand nombre de chefs syndicaux aux États-Unis et en Europe.

Charles, étant une sommité des conditions du travail, Maurice Thorez, secrétaire général du Parti communiste français, lui demanda d'assister à une réunion très importante à Paris où directeurs de sociétés et représentants syndicaux devaient se retrouver face à face pour la première fois. Cette demande était toutefois étonnante vu la façon dont Bedaux avait quitté l'Union soviétique, mais Thorez n'était sans doute pas au courant de sa fuite ou avait choisi d'ignorer superbement ce détail! Une grève sévère avait sévi dans toute la France, paralysant le pays. Une augmentation de salaire avait été accordée, mais les ouvriers n'étaient nullement pressés de retourner travailler. Après les débats qu'entraîna cette rencontre historique, Thorez et Bedaux firent ensemble le tour des usines pour exhorter les travailleurs à reprendre leur labeur. Jovial et courtois, Charles réussit à les persuader de se remettre à l'œuvre et fit merveille dans son rôle de médiateur.

Fern, qui était toujours en relation épistolaire avec son amie Katherine Rogers, reçut plusieurs lettres l'informant qu'elle et Herman étaient les hôtes de Wallis Simpson, venue se réfugier dans leur résidence, Lou Vieui, près de Cannes, dans le sud de la France, pour échapper à la presse qui la traquait pendant les procédures de son second divorce. Avec deux ex-maris encore vivants, cette Américaine, qui avait séduit le roi Édouard VIII d'Angleterre, était devenue un sujet de haine internationale. L'ex-monarque, qui avait abdiqué à la consternation générale, attendait que le divorce fût prononcé dans l'un des châteaux des Rothchild, en Autriche. Le scandale était à son comble. Les journalistes assiégeaient la maison des Rogers où des lettres venimeuses adressées à Wallis arrivaient quotidiennement. Des menaces de mort avaient même été reçues. La villa était entourée de gardes de sécurité dépêchés par le gouvernement français. Les nerfs de Katherine et de Herman étaient mis à rude épreuve.

Katherine suggéra à Fern que le château de Candé serait un refuge idéal pour Wallis. Ravi de pouvoir aider la maîtresse de l'ex-roi d'Angleterre, Charles mit donc Candé à sa disposition. Bedaux et Wallis Simpson avaient, outre les Rogers, plusieurs amis communs dont l'avocat de cette dernière, ainsi que Pierre Laval, futur ministre du régime de Vichy. Wallis accepta l'offre de Bedaux avec reconnaissance et mentionna que le mariage aurait certainement lieu au château même. Après cette réponse, elle resta encore six longues semaines chez les Rogers.

Finalement, Wallis Simpson, accompagnée de Herman, de Katherine, de domestiques et de policiers, quitta le sud de la France pour Candé où elle fut accueillie par Fern. Charles était resté à New York. Partout dans le monde, on fit des conjonctures sur la générosité des Bedaux. Interviewé par des journalistes curieux de connaître les raisons de son hospitalité offerte à des personnes qu'il n'avait jamais rencontrées, Charles expliqua que sa résidence en France était un havre de paix, donc une échappatoire au harcèlement médiatique. De plus, lui et sa femme étaient toujours « *amoureux de l'amour* ». Au château de Candé, la femme la plus détestée du monde put enfin échapper à la presse, jouer au golf, se baigner dans la piscine et attendre patiemment son futur époux.

Dès que le divorce fut prononcé, l'ex-roi quitta l'Autriche et vint rejoindre sa dulcinée. Charles arriva à son tour de New York, fit leur connaissance, puis partit en Hollande pour affaires. Il se rendit ensuite en Allemagne faire une cure pour soigner ses bronches dans la villa qu'il avait achetée près de la ville d'eau de Bad Reichenhall, située près de Berchtesgaden où Adolph Hitler avait une résidence. Comme il avait déjà fait la connaissance du Führer, cette association ne joua pas en sa faveur par la suite, lorsqu'il fut accusé de collaboration avec l'ennemi par les États-Unis.

Bedaux revint à Candé où il eut de longues conversations avec l'ancien monarque au sujet de l'industrie en général et de la politique internationale en particulier. Souffrant tous deux d'insomnie, ils se retrouvaient souvent la nuit pour bavarder dans l'un des salons du château. Charles montra à l'ex-roi les nombreuses photographies prises au cours de l'expédition dans l'ouest du Canada. Cela incita-t-il le futur duc de Windsor à acquérir un peu plus tard un ranch en Alberta qu'il revendit dès qu'il apprit qu'il n'y avait pas une goutte de pétrole dans ses terres? Le duc se montra très intéressé par le système Bedaux.

Wallis et Fern devinrent grandes amies. Par la suite, l'épouse de Charles reçut plus de cinquante lettres de la duchesse et ils se virent fréquemment tous les quatre. Les Windsor invitèrent souvent les Bedaux à dîner chez eux, à Paris.

Le mariage le plus controversé du siècle eut lieu à Candé le 3 juin 1937. Le lieu de la cérémonie avait été approuvé par le gouvernement britannique et par le roi Georges VI lui-même. Ces derniers avaient-ils été mal informés des sympathies allemandes de Bedaux ou n'y avaient-ils vu qu'une simple offre d'aide de la part d'un milliardaire socialement ambitieux envers l'ancien roi? La presse nationale et internationale campa devant les grilles du château. Candé était désormais sur la carte du monde. Charles et Fern offrirent aux nouveaux époux une statue exécutée par une artiste allemande. Parmi les cadeaux de mariage se trouvait une boîte en or, présent de Hitler. Le duc de Windsor grava lui-même la date de son mariage VI -III-37 (sixième mois, troisième jour de 1937) sur la boiserie du grand salon du château. L'inscription existe toujours. Plus tard, Charles avoua avoir dépensé 60 000 dollars pour le mariage et grogna qu'en remerciement, le duc, connu pour son avarice, lui avait seulement offert une caisse de douze bouteilles de cognac. On espère qu'il était du meilleur cru!

Bedaux organisa ensuite une tournée de douze jours en Allemagne pour les Windsor. Après avoir visité diverses fabriques et manufactures dans l'ensemble du pays, le duc et son épouse se rendirent à Berchtesgaden pour une audience avec le Führer qui les fit attendre, sa sieste s'étant prolongée. Cette visite fit scandale lorsqu'elle fut rendue publique.

Le duc et la duchesse de Windsor désiraient aussi se rendre officiellement aux États-Unis. À New York, Bedaux déclara à la presse que le duc planifiait son propre périple à travers le pays et qu'il l'aidait de son mieux. Mais les Bedaux n'étaient plus en faveur auprès du public. La presse américaine avait maintes fois qualifié Charles d'opportuniste de première classe. Ce dernier n'avait-il pas gagné sa fortune à la sueur du front des travailleurs? Depuis deux ans déjà, une véritable campagne condamnant son système était lancée contre lui par les chefs syndicaux. Un syndicaliste avait même écrit : *« Si l'on retire du système Bedaux le verbiage pseudotechnique, il n'en reste qu'une méthode forçant les ouvriers à fournir les plus grands efforts pour des salaires dérisoires. »*

« La Fédération américaine du travail », « Le Syndicat des travailleurs des textiles » et divers autres syndicats avaient tous désavoué Bedaux pour ses tendances fascistes. Son système d'efficacité du travail était désormais violemment critiqué à travers le monde, surtout depuis qu'il avait été aussi implanté en Allemagne. À la même époque, le gouvernement américain lui réclamait un arriéré d'impôts. Bedaux était aussi traîné en justice par une ancienne maîtresse. De plus, la visite du duc de Windsor dérangeait les esprits. Pour quelles raisons désirait-il visiter des usines aux États-Unis et en étudier les conditions de travail en compagnie de Bedaux?

Charles arriva donc à New York au beau milieu de la controverse. Son assistant, Albert Ramond, alors responsable de ses bureaux à Chicago, lui suggéra fortement de démissionner de toutes ses sociétés, vu le mécontentement général. Devant le refus courroucé de Charles, il dut le mettre devant le fait accompli et Bedaux perdit non seulement le contrôle de ses sociétés aux États-Unis, mais aussi en Angleterre. Il envoya aussitôt un câblogramme au duc de Windsor, l'informant qu'il ne pouvait plus lui servir de guide en Amérique du Nord. Le duc annonça alors publiquement que son épouse et lui annulaient leur voyage.

Les Bedaux se réfugièrent à Montréal et repartirent pour l'Europe. Ils débarquèrent à Greenock, en Écosse, et de là, se rendirent à Amsterdam où Charles tomba malade. Le médecin consulté lui conseilla de cesser de fumer immédiatement. Le couple se rendit ensuite en Allemagne où Bedaux souffrit d'une crise cardiaque, suivie d'une dépression nerveuse des plus sérieuses. On lui prescrivit un somnifère du nom de *Medical*, médicament dont il ne put plus se passer par la suite. Lors de sa convalescence en Sicile, Charles prépara son retour au sein de l'industrie internationale. Dans un long article qu'il intitula « *Taormina 1938* » du nom de la station balnéaire où il se reposait alors, il reconnut que son système présentait des failles et fit diverses suggestions pour y remédier.

Bedaux avait perdu ses sociétés américaines et britanniques. Son système était interdit en Italie. Déçu par le capitalisme et par le communisme, il trouva un dérivatif à ses tracas en étudiant l'histoire du cinéma et fut même conseiller pour un documentaire portant sur l'abdication et le mariage du duc de Windsor. Le domaine cinématographique l'avait toujours passionné. Il avait même soumis au « Bureau de l'industrie britannique du film » un document non sollicité où il expliquait en détail comment améliorer ce département. Après cet interlude, il rebondit et reprit ses voyages.

Il visita la Turquie où il désirait établir de nouvelles sociétés, puis la Grèce, retourna en Italie où il offrit d'amender son système, séjourna à nouveau en Grèce et en Turquie, puis voyagea en Iran et aux Indes. En Afrique du Sud, il revit Jack Bocok qui avait organisé « *L'Expédition canadienne subarctique Bedaux* » en Alberta et en Colombie-Britannique. Accompagné de Fern, il partit ensuite en auto jusqu'au Caire, traversa la Rhodésie, le Congo belge et le sud du Sahara. Il revint à Paris où il eut une entrevue officielle avec Joachim von Ribbentrop, ministre allemand des Affaires étrangères qu'il connaissait bien. Grâce à ses entreprises établies en Allemagne, Charles était toujours en contact avec les plus grandes sociétés telles que Krupps, Opel, et Mercedes. Sous peu, ses nouveaux associés ou amis allaient soutenir le régime nazi.

La Seconde Guerre mondiale éclata et Charles Bedaux devint, volontairement ou involontairement, un pion sur l'échiquier politique et industriel de cette période fort agitée.

*
* *

CHAPITRE 14

UNE TRISTE FIN

À Paris, le ministre de l'Armement demanda à Bedaux de mettre sa société et les ressources qu'il possédait encore en France au service de l' État. Bedaux accepta. Il fit le tour des manufactures et usines du pays et les réorganisa à son idée. En peu de temps, les chiffres de production doublèrent. Charles coordonna ensuite les transports de divers matériaux nécessaires à la fabrication des armes et changea leurs acheminements. Il travailla aussi pour les services d'espionnage français. Chargé de différentes missions par le gouvernement, il rencontra Churchill à Londres et le maréchal Pétain à Madrid. Il offrit le château de Candé comme lieu de refuge à l'ambassade des États-Unis pour son personnel, au cas où Paris serait envahi.

Les Allemands occupèrent Paris. Bedaux retourna à Candé où Fern l'attendait. L'ambassadeur des États-Unis, William Bullit, décerna le titre d'attaché à Bedaux et le chargea de la sécurité du personnel, l'ambassade ayant été effectivement transférée au château. Sous peu, près de 500 réfugiés se retrouvèrent à Candé. Charles s'occupa d'obtenir des visas pour les Américains qui désiraient retourner dans leur pays. Il s'impliqua également dans la Croix-Rouge américaine et se rendait fréquemment à Paris où il s'était lié d'amitié avec le général Franz Medicus, médiateur entre les gouvernements français et allemand. Bedaux était en excellents termes avec des officiers nazis haut placés. Il devint aussi conseiller économique auprès du gouvernement allemand pour l'occupation du territoire français. Plus tard, les détracteurs de Bedaux qualifièrent cette association de « *collaboration* ». Bedaux servait tous les pays et mangeait à tous les râteliers!!! Dès la déclaration de la guerre, Charles avait annoncé ne pas vouloir prendre parti pour quelque pays que ce fût, se situant lui-même au-delà des normes humaines.

Il aida un certain nombre de juifs à échapper aux prisons allemandes. À deux occasions, il tint tête à Klaus Barbie, surnommé « *le boucher de Lyon* », l'empêchant d'arrêter quelques personnes et de les envoyer dans des camps de concentration en Allemagne. Il protégea aussi l'église de la Science chrétienne à laquelle appartenait Fern. Pendant toute la durée de la Seconde Guerre mondiale, cette église servit de couverture aux services d'espionnage britanniques.

En Hollande, les sociétés Bedaux furent confisquées par les Allemands. Ce qui n'empêcha nullement Charles de voyager en Allemagne pour affaires. Il avait aussi de grands projets pour l'Afrique du Nord et se rendit plusieurs fois à Alger. Lorsque les États-Unis se joignirent à la guerre, Charles et Fern furent assignés en garde à vue au château de Candé en tant que citoyens américains. Bedaux demanda alors la permission de retourner dans son pays d'adoption. Elle lui fut refusée sous prétexte qu'il avait fait beaucoup pour les Alliés et le gouvernement français.

Bedaux se résigna donc à rester en Europe. Il avait d'ailleurs en tête un plan important, concocté bon nombre d'années auparavant. Il en avait même parlé à Jack Bocock en 1934, lors de l'expédition en Alberta et en Colombie-Britannique. Il s'agissait d'un projet qui avait reçu l'approbation du « Syndicat d'études du continent africain pour le transport des huiles africaines de France ». Charles avait l'intention de bâtir un immense réseau de pipelines à travers le Sahara, allant de Colomb-Béchar, ville du nord-ouest du Sahara algérien, située près du Maroc, jusqu'à Bouren, sur le fleuve Niger, dans le Soudan français. Bedaux avait planifié la création de vastes plantations d'arachides sur les rives du Niger, de la Côte d'ivoire et du Soudan. Des centaines de

Le château de Candé

milliers de tonnes d'huile d'arachide seraient ainsi extraites dans des usines spécialisées et acheminées par ce réseau de pipelines jusqu'à différents ports de la Méditerranée. Le programme allait être financé par la Banque des Pays-Bas. La participation monétaire de Bedaux était modique. Toutefois, d'après Charles, cette entreprise nécessitait une année de travaux avant que l'on pût même installer les pipelines. Une fois que ceux-ci seraient en place, on y ferait d'abord circuler de l'eau. Il fallait également établir les plantations qui n'existaient pas encore et organiser les infrastructures du pressage des arachides. Bedaux ne prévoyait pas que le système de pipelines pût entrer en fonction avant 1947. Certains membres de la famille Rothchild s'intéressaient aussi à ces plans qui ne pouvaient que contribuer à l'économie d'un futur État d'Israël.

Bedaux imagina également une autoroute qui traverserait le Sahara, à proximité des pipelines. Il se lança avec enthousiasme dans la résolution de tous les problèmes techniques que son programme grandiose entraînait, et sous peu, présenta ses idées à Pierre Laval, chef du gouvernement de Vichy qui lui donna son approbation. Puis, il en parla avec succès aux représentants du gouvernement allemand. Tout le monde se montra intéressé et impressionné par ce projet incroyable! Grâce à son charisme, Charles se révélait toujours excellent promoteur de ses propres idées. À cette époque, plusieurs rapports mitigés furent écrits où Charles Bedaux fut qualifié d'immoral et d'opportuniste. On l'accusait aussi de manquer d'éducation et de courtoisie. Son association ouverte avec l'ennemi faisait grincer des dents. On lui reconnaissait toutefois une qualité : la sincérité de ses rêves.

Avant que Charles pût se rendre en Afrique, il fut arrêté, ainsi que Fern et Charles-Émile, fils issu de son premier mariage, par des soldats allemands qui n'avaient aucune idée de l'identité de leurs prisonniers. Les raisons de cette arrestation étaient dues au fait qu'ils étaient tous trois citoyens américains séjournant en France. Fern passa plusieurs jours au zoo du Bois de Boulogne, dans une cage qui avait abrité des lions. Elle fut ensuite relâchée et regagna Candé.

Bedaux et Charles-Émile furent envoyés dans un camp de prisonniers à Compiègne. Après quatre jours, les Allemands offrirent de libérer Charles. Méfiant, ce dernier exigea que le gouvernement français lui remette par écrit la permission de se rendre en Afrique du Nord. Après avoir obtenu gain de cause, Bedaux accepta de quitter le camp à condition qu'on libère également et en même temps que lui, plus de 30 prisonniers. Son fils fut relâché 15 jours plus tard.

Arrivé à Alger, Charles se rendit directement au consulat américain où il expliqua ses projets en détail. On comprend l'étonnement de ses interlocuteurs, car les plans du système de pipelines transportant l'huile d'arachide à travers le Sahara avaient déjà été présentés et approuvés par le gouvernement français de Vichy et par le gouvernement allemand. Dès lors, il souhaitait aussi que les Américains applaudissent ce programme? Mais avec qui et pour qui travaillait-il donc???

Quelque temps plus tard, au moment du débarquement américain en Algérie, Bedaux et son fils furent arrêtés par des officiers de la France Libre, puis relâchés. Ils furent à nouveau appréhendés, toujours par des agents français de la sécurité militaire, mais cette fois, pour le compte des Américains. Charles Bedaux était, non seulement soupçonné d'espionnage pour les Allemands, mais également accusé de négocier avec les nazis pour établir un grand projet industriel en Afrique du Nord. On transféra père et fils à El Biar, aux alentours d'Alger. Bedaux resta sept mois en Afrique du Nord.

Le gouvernement américain, désirant le retour de Bedaux aux États-Unis pour lui intenter un procès, envoya deux agents le chercher en Algérie. Charles-Émile fut libéré, mais on mit Bedaux dans un avion en partance pour le Brésil, qui, après une escale à Natal, capitale de l'État de Rio Grande do Norte, atterrit en Floride. Charles fut incarcéré dans la prison de Miami. Il en sortit quelques jours plus tard, mais dut rester en Floride, à la disposition du gouvernement. Pendant ce temps-là, Fern était toujours en garde à vue à Candé.

Fin décembre 1943, Bedaux fut officiellement arrêté par les Services d'immigration. Sa citoyenneté américaine était remise en question. On l'accusait également d'avoir de forts arriérés d'impôts. On l'interrogea aussi sur ses relations avec le gouvernement de Vichy et avec le gouvernement nazi. Les journaux s'emparèrent de l'affaire et des articles parurent, indiquant que Charles allait comparaître devant une commission de l'armée américaine. En réalité, le gouvernement américain n'avait pas encore décidé s'il serait jugé par un tribunal militaire ou par le Département de la Justice.

Bedaux envoya une lettre à Isabella Waite, son ancienne secrétaire, aux bureaux de la compagnie Bedaux à New York. Ramon dirigeait désormais les anciennes sociétés Bedaux, mais n'avait pas encore changé leur nom. Dans cette lettre, Bedaux demandait à Isabella de lui envoyer un flacon de comprimés du somnifère appelé *Medical* qu'il prenait depuis des années. En détention, il réclama également un flacon de ce même médicament. N'ayant pas ce remède sous la main, le médecin des Services publics de la Santé, responsable des détenus, lui remit un somnifère similaire, du nom de *Luminal*.

On informa finalement Bedaux qu'on reconnaissait sa citoyenneté américaine et que le montant d'argent réclamé pour ses arriérés d'impôts était erroné. Néanmoins, on le questionna à nouveau et longuement sur son association avec certains membres importants du Parti nazi et sur le projet qu'il avait pour l'Algérie, soi-disant organisé avec la bénédiction des Allemands. On oubliait que ce plan avait été également approuvé par le gouvernement de Vichy, remportant ainsi tous les suffrages! Charles apprit qu'il était accusé de collaboration, bien qu'il y eût peu de preuves à ce sujet, et que son procès allait s'ouvrir sous peu.

Bedaux adressa alors une seconde missive à Isabella Waite, l'informant qu'il ne pouvait pas défendre son nom sans mettre en danger d'autres personnes, mais qu'après la guerre, Fern et Charles-Émile prouveraient que ces accusations étaient sans fondement. Il terminait en exprimant sa gratitude pour l'amitié et l'aide d'Isabella et mentionnait qu'il avait conservé tous les comprimés de somnifère qu'elle lui avait envoyés et ceux que le médecin lui avait aussi prescrits. Il demanda qu'une copie de cette lettre soit envoyée à Fern qu'il n'avait pas vue depuis un an.

Charles Bedaux se suicida en avalant tous les médicaments qu'il avait stockés. Il mourut deux jours plus tard, le 18 février 1944, à l'hôpital de Miami. Sa lettre fut remise aux représentants du gouvernement américain par Isabella Waite, mais ne fut jamais retrouvée par la suite.

Le décès de Bedaux fit sensation. S'était-il vraiment suicidé ou l'avait-on poussé à le faire? Son procès aurait entraîné, sans aucun doute, la comparution devant le tribunal de beaucoup de gens qui préféraient rester dans l'anonymat, dont ses amis affluents et influents partout autour du monde, tous de bords différents, et qui avaient largement profité des opportunités qui s'étaient présentées à eux en ces temps de guerre.

Dans l'opinion de la presse américaine, le fait que Charles Bedaux se fût suicidé était signe de culpabilité. Il fut enterré dans un cimetière de Cambridge, près de Boston, à proximité du mémorial de Mary Baker Eddy, fondatrice de la Science chrétienne.

Les rumeurs suggérants que Bedaux avait espionné pour le compte du gouvernement allemand circulèrent à travers les États-Unis, le Canada et l'Europe. On chuchota même que « *l'Expédition canadienne subarctique Bedaux* » n'avait été que l'excuse d'une mission d'espionnage pour l'Allemagne. À Fort St. John, les gens qui avaient travaillé pour Bedaux et avaient profité de ses largesses, étaient abasourdis par les insinuations d'espionnage. Les commérages les plus saugrenus se mirent à circuler. L'espionnage pouvait expliquer le renvoi de Bruce McCallum, l'opérateur-radio, le tournage d'un film qui ne vit jamais le jour et l'idée de la route menant jusqu'à l'océan Pacifique qui eût pu aider les nazis à envahir l'Amérique du Nord. On n'était plus à une suggestion ébouriffante près! Même Nick Geake fut soupçonné d'espionnage. Après tout, il avait servi dans la marine royale britannique, avant de venir s'installer dans la région de Rivière-la-Paix pour se lancer dans le fermage. Il ne pouvait donc être qu'un espion à la solde des services secrets britanniques! De plus, il était bizarre, car même au cœur de l'hiver, il se promenait toujours en shorts kaki avec un foulard de soie noire attaché autour du front. On rappela également la fin étrange de Geake, assassiné par des bandits, dans la Sienna Madre, au Mexique où il prospectait l'or en compagnie de son partenaire qui était complètement aveugle!!! Il n'y avait strictement aucune preuve pour ces accusations d'espionnage, mais les langues et les allusions allèrent bon train.

Il faut toutefois reconnaître que l'espionnage demandant avant tout de la discrétion, Bedaux ne fit jamais preuve de cette qualité lors de son expédition dans l'ouest du Canada. Dépensant des sommes fabuleuses alors que la Dépression sévissait, voyageant dans l'opulence, il poursuivit ses idées et ses marottes, avec la ténacité qui l'accompagna toute sa vie et le poussa à défier l'impossible.

*
* *

CHAPITRE 15

BILAN DE L'EXPÉDITION CANADIENNE
SUBARCTIQUE BEDAUX

Charles Bedaux ne reconnut jamais publiquement que l'Expédition d'Edmonton jusqu'au col Sifton se fût soldée par un échec. Comme il le répéta maintes fois, l'entreprise prouva tout simplement que dans des conditions climatiques moins rudes, la route d'Edmonton jusqu'à l'océan Pacifique était entièrement faisable. Il ne souligna que les points positifs de cette opération.

Pourtant, dans une lettre adressée à Jack Bocock, six mois avant le départ d'Edmonton, il n'avait pas hésité à mentionner, de manière privée, la possibilité d'un échec : « *Dans le plan que j'ai retenu, si les autochenilles venaient à nous lâcher à n'importe quel moment du voyage entre Fort St. John et Sifton Pass, les deux éclaireurs, Pickell et MacDougall, nous rejoindraient avec un convoi de chevaux pour nous permettre d'atteindre McDame Creek par la piste Moodie.* » Cette piste offrait l'avantage de pouvoir effectuer en trois jours le trajet entre Whitewater et le col Sifton.

« *L'Expédition canadienne subarctique Bedaux* » eut des répercussions historiques pour l'Ouest. Grâce à l'information, aux communiqués de presse et aux rapports divulgués par Bedaux au cours de cette période de huit mois, plus de soixante-dix articles portant sur les préparatifs de l'Expédition, son déroulement et sa fin, furent publiés. Tout cela fit ainsi connaître les noms de différentes locations en Alberta et en Colombie-Britannique, qui, jusqu'alors, étaient complètement inconnues du grand public.

Frank Swannel put aussi cartographier un territoire vierge et découvrir des montagnes et des lacs auxquels il attribua des noms. Charles rappela aussi que les chiffres d'altitude de quelques montagnes, enregistrés précédemment, n'étaient pas exacts. Le travail des topographes et des arpenteurs de l'Expédition permit aussi de corriger ces erreurs.

Bedaux précisa qu'Ernest Lamarque avait été le premier homme de « *L'Expédition canadienne subarctique Bedaux* » à ouvrir un passage entre Fort St. John et Telegraph Creek, et aussi le premier homme blanc à avoir traversé le territoire, suivant la route imaginée par Charles.

Il ne fallait pas non plus oublier l'injection d'argent dans l'ouest du Canada, découlant de cette opération et qui avait bien aidé cette région, lourdement affectée par la Dépression des années 1930.

Ce qui était arrivé aux chevaux était bien triste, mais incontrôlable. L'industriel mentionna à ce sujet : « *Nous ne pouvions*

*rien faire pour les sauver, sauf les abattre pour mettre un terme à
leurs souffrances. C'était une situation terrible et cela me hantera
toute ma vie, car c'était l'élément le plus pénible de l'Expédition. »*

On devait se réjouir que la seule victime de l'Expédition fût un
jeune cow-boy qui s'abîma le genou en essayant quelques acrobaties
équestres pour le tournage du film et dont la monture se débarrassa
promptement. On pouvait donc être fier des mesures de sécurité prises
tout au long de l'Expédition ou simplement remercier... la chance.

Bedaux n'avait que des compliments pour les hommes qui
avaient participé à l'entreprise, car ils avaient fait tout ce qui était
en leur pouvoir pour assurer le succès de l'opération : *« J'étais
très fier de moi lorsqu'ils m'ont dit être prêts à m'accompagner
dans une autre expédition, si j'avais besoin d'eux. »*

Par la suite, questionné sur les raisons précises de cette
expédition, Charles admit que les journalistes avaient émis
beaucoup de théories à ce sujet, mais qu'il n'en avait trouvé
aucune suffisamment fantasque pour l'adopter comme sienne :
*« On a suggéré que ce voyage avait été conçu uniquement pour
la publicité et pour un film. On a même dit que nous avions
pour mission de tester les autochenilles pour le gouvernement
français. La vérité toute simple est que cette expédition a été
entreprise pour le plaisir et s'est révélé une tâche ardue!*

*...Nous n'avons pas atteint notre objectif... mais je sais que
j'ai découvert la voie logique pour une route jusqu'à l'Alaska.
Une telle route peut être facilement construite. »*

Le film documentaire de la « *Croisière blanche* » ne fut jamais terminé. Son titre était *Hell, Muskeg and High Water*. Bedaux imagina lui-même le sujet du film d'aventures hollywoodien qui devait être tiré de ce documentaire : un sinistre individu se joint à l'Expédition. Il se révèle peu intéressé à atteindre l'océan Pacifique, car il ne pense qu'à prospecter l'or pour son propre compte, mettant ainsi en danger la vie des autres membres. Charles écrivit également les dialogues, mais ce projet ne vit jamais le jour.

Une année après « *L'Expédition canadienne subarctique Bedaux* », André Citroën prit sa retraite. L'un des nouveaux patrons des usines contacta Bedaux pour lui demander des nouvelles de son film. Charles lui répondit : « *...L'Expédition n'ayant pas réussi à atteindre son but, notre intérêt envers le film a naturellement beaucoup diminué, et je doute que ce film ait le pouvoir d'intéresser le public.*

En ce qui le concerne, je ne pense pas que la Maison Citroën aimerait montrer ce film, les voitures n'ayant pas du tout réussi, le pays étant beaucoup trop dur pour elles. Le film montre des résultats catastrophiques en ce qui concerne les autochenilles Citroën, par conséquent, il est pour vous d'un intérêt négatif.

Je n'ai encore rien fait pour amener ce film à l'intention du public, mes affaires me prenant beaucoup, mais je ferai peut-être quelque chose cet été. »

Bedaux contacta un producteur de films et lui proposa de monter et d'éditer les pellicules pour son usage personnel, suivant ses directives et celles de Fern. Ce projet ne fut jamais réalisé. Charles continua à s'intéresser à l'industrie cinématographique et inventa même une caméra qui fut parrainée par la grande société Kodak.

Ernest Lamarque avait projeté d'écrire un livre relatant ses expériences dans le nord de l'Alberta et de la Colombie-Britannique. Bedaux l'en dissuada : « *Nous en avons discuté avec ma femme et nous pensons que L'Expédition ayant échoué dans ses objectifs, il n'y a pas de raison d'en écrire un livre. Et s'il était écrit quand même, il ne rencontrerait aucune demande.* »

Des années, plus tard, en 1995, un cinéaste du nom de George Ungar produisit, avec succès, un documentaire fort intéressant intitulé « *Champagne Safari* ». Il avait utilisé les bobines de pellicules de Floyd Crosby, retraçant l'épopée de la « *Croisière blanche* » et la vie de Bedaux.

Quand en décembre 1941, Pearl Harbor fut bombardé et que les Japonais envahirent quelques îles Aléoutiennes, on s'aperçut que Bedaux avait eu entièrement raison quant au manque de routes et de pistes pour protéger cette partie du Canada et le nord de la côte-ouest des États-Unis. La seule arme pour défendre ce territoire était alors un unique canon, à Juneau, en Alaska. Posé sur la pelouse de la Cour de justice locale et transformé en pot de fleurs, il était loin de représenter une menace! Une telle constatation entraîna le concept qu'une liaison terrestre entre l'Alaska et le reste du continent était indispensable et résulta en l'approbation immédiate de la route de l'Alaska qui fut construite de 1942 à 1943, en un temps record de huit mois, entre Dawson Creek, en Colombie-Britannique, et Fairbanks, en Alaska. Elle était longue de 2 451 kilomètres et suivait approximativement l'une des voies imaginées par Bedaux.

Ernest Lamarque et Frank Swannell, anciens participants à l'Expédition, furent engagés comme conseillers pour la construction de la route de l'Alaska. Leur travail fut sans doute simplifié du fait qu'ils connaissaient déjà la région!

Deux autres hommes bénéficièrent directement de leur association avec Charles. Art Phipps et Jack Bocock avaient beaucoup impressionné Bedaux par leur intelligence et leur courage. Il leur offrit à chacun un poste dans ses sociétés. Phipps fut responsable des sociétés Bedaux en Écosse, puis se retrouva directeur d'une usine de poterie appartenant à Charles, en Angleterre. Jack Bocock travailla pour la société Bedaux en Afrique du Sud. Par la suite, sa fille Robin revint au Canada et s'établit à Calgary. Des descendants de Jack et Bruce Bocock, ainsi que de leur frère Geoff, habitent toujours à Edmonton et à St. Albert.

Le vingt-cinquième anniversaire de « *L'Expédition canadienne subarctique Bedaux* » fut célébré en 1959. Les survivants de l'Expédition se réunirent pour une petite fête. Ils avaient tous gardé de bons souvenirs de Bedaux, de son épouse et de Bilonha, ainsi que des diverses étapes de ce périple et des événements cocasses qui en avaient surgi.

Extravagant, impulsif, excentrique, opiniâtre et égocentrique, Charles Bedaux fut malgré tout un personnage sympathique. On n'a jamais pu prouver qu'il fut espion à la solde des nazis ou que son suicide fut un meurtre déguisé. De nos jours encore, les doutes subsistent, l'incertitude persiste et le mystère demeure.

Après la Seconde Guerre mondiale, le gouvernement français fit une revue détaillée des activités de Bedaux au cours de cette période et ne trouva rien de suspect à lui reprocher. Une rue de Tours, ville située près du château de Candé, reçut le nom de Bedaux en souvenir et en remerciement pour ses dons monétaires à la municipalité.

On a écrit qu'une autre décoration de la Légion d'honneur fut remise à titre posthume à Fern, pour son époux. Toutefois, bien que la Grande Chancellerie de la Légion d'honneur de Paris possède la preuve écrite que Charles Eugène Bedaux eût été nommé Chevalier de la Légion d'honneur en 1930, aucun dossier n'existe sur Bedaux et aucune trace d'une seconde Légion d'honneur n'a été retrouvée.

Fern se remaria, paraît-il, quatre ans après la disparition de son mari. Alors âgée de 60 ans, elle épousa un homme de 38 ans dont elle divorça quelques années plus tard. Mais aucune information officielle ne confirme ce fait. On a mentionné aussi que pendant des années, elle se fit appeler « *duchesse de Candé* », sans doute pour égaler son amie, la duchesse de Windsor. Fern Bedaux fit don du château au gouvernement français qui l'attribua, par la suite, au Conseil général d'Indre-et Loire. Elle s'éteignit en

1974. Aujourd'hui, le château de Candé est ouvert aux visiteurs qui peuvent y admirer, outre la salle à manger, le salon, la salle de musique et la bibliothèque avec le buffet d'orgue, la chambre à coucher de Fern et le bureau de Charles

Les gens qui connurent Bedaux ou qui l'approchèrent, s'accordèrent tous pour dire qu'on ne s'ennuyait jamais avec lui et que si un jour, on tournait un film sur sa vie, il faudrait atténuer la réalité pour rendre plausibles ses actions et les événements qui en découlèrent.

En Colombie-Britannique, dans le panorama grandiose offert par des montagnes qu'il avait lui-même qualifiées de « *site digne des dieux* », le mont Bedaux continue d'honorer les efforts de cet homme bouillonnant d'idées qui incarna le rêve américain et qui, personnage hors du commun, paya de sa vie pour ses innombrables entreprises et tactiques, aussi opportunistes qu'insolites.

*
* *

FIN

SOURCES

Archives nationales de Paris, France
Archives privées de Robin Bocock Phillips, Calgary,
  Alberta, Canada
Archives, Whyte Museum, Banff, Alberta, Canada
Bibliothèque nationale de France
Grande Bibliothèque, Montréal, Québec, Canada
Grande Chancellerie de la Légion d'honneur, Paris, France
Shirlee Smith Matheson Funds, Special Collection,
  University of Calgary, Alberta Canada
Film documentaire, *The Champagne Safari*,
  George Ungar, 1995

Photos: Bibliothèque et archives Canada
        Glenbow Museum de Calgary

BIBLIOGRAPHIE

Allen, Martin, *Le roi qui a trahi*, Éditions Plon, Paris, 2000

Bedaux, Gaston, *La vie ardente de Charles Bedaux*, publication privée, 1979

Berton, Pierre, *My Country*, McClelland and Stuart, Toronto, 1981

Bowles, Gordon, *Peace River Chronicles*, Prescott Publishing Company, Vancouver, 1963

Christie, Jim, *The price of power*, Doubleday Canada limited, Toronto, 1984

ARTICLES ET MAGAZINES

Bedaux, Gaston, *La Croisière blanche de l'Américain Charles Bedaux*, Acta Geographica, 1978

Château de Candé, informations, Culture et patrimoine, Châteaux-France

Caine, Alice, *Bedaux*

Dyke, Bob, *Delusions of Grandeur : Constructed Realities and Newspapers Coverage of the Bedaux Expedition*, 2001

Goddard, John, *Bedaux's crossing*, Canadian Geographic, 1995

Hodgson, W.R., *An Outline of the Bedaux Point System, Cost and Management*, 1926 -1985

Kreis, Steven, *The Diffusion of Scientific Management: The Bedaux Company in America and Britain*, 1926-1945

Levant, Yves et Marc Nikitin, *De l'atelier à l'utopie*, 1930-1944

Sabatès, Fabien, *Citropolis, La croisière blanche,* 15 mai - 15 juillet 2001, 15 juillet - 15 septembre 2001, 15 septembre - 15 novembre 2001,

15 novembre - 15 janvier 2002, 15 mars - 15 mai 2002

JOURNAUX ET MÉMOIRES

Bocock, Geoff, *A Tale for the Telling,* College Copier, 1985

Freer, M. William, *Bedaux Subarctic Expedition*, diary, 1934

Lamarque, Ernest C.W., *Making Trail for M. Bedaux*, diary, 1934

Pickell, Cecil, *The Bedaux Expedition, Memories,* sin data

Swannell, F.C., *A Diary of the Bedaux Expedition*, 1934

White, Bob, *Bannock and Beans, Memoirs of the Bedaux Expedition and Northern B.C. Packtrails*, Gateway Publishing Co Ltd, Winnipeg, 1983

TABLE DES MATIÈRES